Le Fleuve des brumes

Valerio Varesi

Le Fleuve des brumes

Traduit de l'italien par
Sarah Amrani

Titre original : *IL FIUME DELLE NEBBIE*

www.agullo-editions.com

Conception graphique : WIPbrands

À Raffaele et Luca Crovi

REMERCIEMENTS

L'auteur souhaite remercier Edgardo Azzi, grand connaisseur du Pô, et Simona Mammano, adjointe de sécurité et organisatrice de prix littéraires consacrés au roman policier.

1

Une eau fine glissait doucement du ciel. On apercevait avec difficulté le réverbère du cercle nautique à travers les gouttes qui tombaient, en dansant, sur la digue principale du fleuve : rien d'autre qu'un fanal pour les chalands des sableurs qui naviguaient dans le noir, de mémoire.

« Quelle vilaine eau, dit Vernizzi.

— Du genre à durer », lui répondit Torelli sans regarder.

Ils s'affrontaient depuis plus d'une heure dans une partie de belote qui restait indécise.

« De combien est-il monté ? demanda Vernizzi.

— De vingt centimètres en trois heures, répliqua l'autre en regardant fixement l'endroit de la table où les coups étaient joués.

— Demain matin, le fleuve aura recouvert le banc de sable.

— Et l'eau commencera à atteindre les pontons. »

Sur les quatre tables, on jouait avec plus de distraction que d'habitude : la pluie et le fleuve qui grossissait animaient les discussions. Par moments, on entendait la plainte d'un treuil provenir du port fluvial, où quelqu'un mettait au sec les coques des bateaux en travaillant sous la pluie. Et puis le fond sonore des gouttières, un léger goutte-à-goutte semblable au bruit d'un homme pissant contre un mur. C'était le quatrième jour qu'il pleuvait. D'abord rageusement comme en été, puis de manière plus régulière. Et maintenant, depuis le ciel se déversait une sorte de brouillard qui taquinait les flaques d'eau. Le vieux Barigazzi apparut à la porte du cercle nautique avec son ciré et son chapeau trempés. Un souffle d'air froid traversa la salle et Gianna frissonna derrière le comptoir.

« Tu les as plantés, les piquets ? » demanda Vernizzi.

Barigazzi acquiesça en mettant ses vêtements à égoutter.

« Il est encore monté de trois centimètres, annonça-t-il ensuite alors qu'il était déjà au comptoir et que Gianna lui avait versé un verre. Si ça continue à ce rythme, l'eau envahira le lit principal ce soir », ajouta-t-il avec l'air de réfléchir à voix haute.

Personne ne répliqua quoi que ce soit : personne ne répliquait jamais rien à Barigazzi qui, avec le fleuve, avait des relations intimes.

Dehors, on entendit un choc sourd de bois brisé. Tout le monde se retourna, comme si l'eau était déjà arrivée au mur du cercle nautique en emportant les vélos qui se trouvaient sous l'abri. C'est alors qu'ils virent la silhouette massive de la péniche de Tonna, dont la forme carrée évoquait la cloison d'une écluse levée sur le fil de l'eau.

Personne ne s'était aperçu de son arrivée, sauf Barigazzi.

« Elle vient de Martignana, dit-il, elle est pleine de blé à moudre. »

Tonna avait plus de quatre-vingts ans, passés en grande partie à naviguer sur le fleuve. Depuis quelque temps, il devait se coltiner un petit-neveu, qui l'accompagnerait jusqu'à ce qu'il se décide à accoster pour toujours. Mais le garçon en avait eu marre en premier. Déprimé par toute cette solitude, il avait planté là son grand-oncle en le laissant passer les nuits seul sur l'eau.

« De l'eau au-dessus et de l'eau en dessous, commenta Torelli en indiquant la péniche.

— Il doit avoir de la mousse sur sa veste : en pleine humidité, il se porte mieux que Noé, affirma Vernizzi.

— Ils ont fini de mettre les barques au sec ?

— Ils en ont hissé quatre, répondit Barigazzi en regardant attentivement à travers la fenêtre, où l'on apercevait la péniche de Tonna. Ils veulent les garder près de chez eux parce qu'ils sont sûrs que le fleuve montera jusque sous la digue principale. »

Puis Barigazzi s'assit, en se laissant tomber lourdement sur une chaise, et les autres recommencèrent à faire claquer les cartes. Vers vingt-trois heures, dans la salle du cercle nautique, on entendait seulement le clapotis obstiné de la gouttière. La lumière, de temps en temps, vacillait. La péniche était toujours accostée au quai et ses câbles résistaient au courant qui avait grossi. Des tables, l'on pouvait observer la porte du poste de contrôle, où la radio grésillait et où un volontaire du cercle nautique était de garde pour les urgences. Par ce temps-là, ils allaient se relayer toute la nuit. De temps en temps, quelqu'un prenait le micro et parlait un peu avec les autres contrôleurs le long du fleuve, entre les deux rives. Ils échangeaient des informations pour prévoir la crue.

« L'eau monte beaucoup chez vous ? Qu'est-ce que tu dis ? Elle a déjà envahi les peupleraies ? »

Barigazzi ressortit pour aller vérifier les piquets : une heure était passée. Quand il rentra, une lumière opaque, en provenance du quai, filtra sous la porte.

« Il part maintenant, Tonna ?

— Il serait capable de le faire, fit remarquer Vernizzi. Il connaît le fleuve comme sa poche. »

Tout le monde se retourna vers la péniche : il y avait de la lumière dans la cabine, mais on ne comprenait pas si quelqu'un bougeait à l'intérieur.

« Il ne part pas, dit encore Vernizzi, il aurait allumé les feux à l'avant et à l'arrière. »

La lumière s'éteignit et Barigazzi referma doucement la porte sur la pluie incessante.

« Et alors ? demanda Gianna.

— L'eau monte comme le café dans la cafetière : huit centimètres », informa le vieil homme.

Il n'y eut pas une seule réaction, tout le monde semblait penser encore à la lumière dans la cabine de Tonna. La seule qui n'y avait pas attaché d'importance était justement Gianna, qui continuait à passer entre les tables avec son tablier à bavette et sa silhouette arrondie au niveau des hanches.

« Si nous allions voir, il serait capable de se fâcher, prévint-elle.

— Il a laissé la passerelle à quai. Attendrait-il quelqu'un ? demanda Torelli.

— Il la laisse toujours baissée à cause de son petit-neveu, expliqua Barigazzi. Parfois il rentre aux heures les plus folles. »

« Huit centimètres, oui, huit centimètres, disait à voix haute, dans le micro, l'homme de garde à la radio. Chez vous l'eau monte de neuf centimètres ? Quelle crue ! Et s'il continue à pleuvoir... Comment ? Vous avez prévenu la préfecture ? Tu dis que nous devrons le faire nous aussi ? »

À ce moment-là, une voiture passa sur la digue et tourna en direction du cercle nautique. Les phares éclairèrent un instant les fenêtres en traversant la pièce de part en part. Peu après, la porte s'ouvrit et au même moment la lumière dans la cabine de la péniche se ralluma. Devant le comptoir se présentèrent deux types trempés en habit de ville. Hésitants, ils regardèrent autour d'eux, se sentant observés, jusqu'à ce que Gianna prenne une décision ressemblant à un ordre et dise :

« Et si vous vous asseyiez ? »

Ils obéirent. Puis ils sortirent la feuille de pré-alerte de crue, sur laquelle figuraient toutes les instructions au cas où le fleuve viendrait à grossir jusqu'à la digue principale.

« Vous devriez l'afficher », suggérèrent-ils.

Le vieux Barigazzi fit un signe du menton.

« Vous venez apprendre à nager aux poissons ? »

Les deux se regardèrent sans comprendre : ils étaient transis de froid, mouillés et mal à l'aise.

« On la met là, d'accord ? » décida Gianna en accrochant la feuille au panneau d'affichage, où l'on indiquait les tours de pêche.

Puis elle donna une tape pour bien faire coller l'adhésif.

« Vous croyez que nous ne savons pas quoi faire ? » dit Barigazzi.

Les deux burent une gorgée de grappa, mais dans la salle on ne faisait déjà plus attention à eux. Tout le monde observait la lumière à nouveau allumée dans la péniche, bien que la cabine semblât vide. À présent une faible lueur éclairait aussi un peu la proue, où on lisait en grands caractères l'inscription « TONNA ». Puis, tout s'éteignit.

Les deux représentants se levèrent.

« Vous savez que l'eau monte de huit centimètres par heure ?

— La cellule de crise s'en charge. »

Ils n'avaient pas l'air d'être très habitués à l'humidité et ils donnaient l'impression de vouloir s'éclipser le plus tôt possible. L'ourlet de leur pantalon était trempé, leurs chaussures légères étaient imprégnées d'eau et leur manteau était couvert de gouttelettes si nombreuses qu'on aurait dit du givre.

Barigazzi les observa avec un sourire de suffisance.

« Eh bien, sachez que cela n'a pas eu lieu depuis dix ans et que la dernière fois les choses ne se sont pas bien passées.

— Le préfet est prêt à signer l'ordre d'évacuation.

— Il peut faire ce qu'il veut. Nous, nous n'évacuerons pas, on n'a franchement pas peur de l'eau. C'est à cause de vos routes… »

Peu après, la voiture repartit avec les deux hommes, en remontant en deuxième la rampe d'accès menant à la départementale. Les phares éclairèrent l'énorme masse d'eau qui continuait à tomber du ciel. Des milliers de litres à la seconde affligeaient la terre d'un poids boueux. Et sous cette lente malédiction, la lumière dans la cabine de la péniche se ralluma.

« Ou bien il fait de mauvais rêves, ou bien il ne parvient pas à trouver le sommeil, dit Vernizzi.

— C'est probablement à cause de son petit-neveu, intervint Torelli. Il se peut qu'il soit rentré et que Tonna soit en train de lui dire ses quatre vérités.

— Je ne crois pas, intervint Gianna à son tour, ils se parlent très peu, de simples signes leur suffisent pour se comprendre. Et, avec le temps qu'il fait, je crois plutôt que le petit doit se tenir loin de l'humidité.

— Alors ça signifie que le vieux déraille et qu'il part.

— Maintenant ? Ça veut dire naviguer en plein brouillard toute la nuit.

— Et être sur le qui-vive comme une sentinelle », grommela Gianna.

Barigazzi la regarda d'un air réprobateur.

« L'eau est haute et cela te met à l'abri des bancs de sable. Du trafic, pendant une nuit pareille, il n'y en a pas. Et puis Tonna a de l'expérience. »

Plus d'une demi-heure était passée : il était temps pour Barigazzi de sortir contrôler les piquets.

La radio, pendant ce temps, continuait à diffuser des messages en provenance des deux berges.

« Les affluents rejettent beaucoup d'eau ? Comment ? Il y a déjà des reflux ? Ah oui ? On a évacué ? »

Dans la salle, on écoutait la radio, en interrompant la partie quand arrivaient de nouvelles informations.

La lumière intermittente d'un fanal fit irruption dans le parvis du cercle nautique avant de s'éteindre doucement. Ghezzi entra après avoir mis son vélo au sec.

« Le camion est arrivé avec les sacs. Le maire envoie en ce moment les agents de police prévenir toutes les familles qu'elles doivent se tenir prêtes à évacuer, annonça-t-il.

— Il est fou ! s'emporta Torelli. Tant que l'eau n'atteindra pas les portes, personne ne s'en ira.

— En attendant, c'est Tonna qui s'en va », les informa Vernizzi en regardant au-dehors vers le quai.

La péniche paraissait plus grande et imposante. À présent, elle semblait flotter en tanguant doucement pendant la manœuvre lui permettant de prendre le large et de s'abandonner au courant. Lentement elle glissa devant les postes d'amarrage et se mit légèrement de travers, sortant du port fluvial en titubant. Puis elle se laissa glisser, entraînée par les eaux indolentes.

« Il n'a même pas allumé ses feux de signalisation, fit remarquer Torelli en observant la lumière de la cabine que l'on distinguait encore un peu avant que la péniche ne rejoigne le centre du fleuve.

— Tonna se fait vieux, conclut Vernizzi, vous avez vu la manœuvre qu'il a faite ? Il a voulu sortir en comptant sur la force du vent et il a failli ensabler la proue dans le pressoir. C'est la crue qui l'a sauvé. »

Personne ne surenchérit et, dans le silence, on entendait seulement la radio transmettre d'autres indications sur le niveau des eaux :

« Le fleuve a commencé à s'épancher dans le lit d'inondation… On doit ouvrir les canaux pour le laisser se déverser... On est en train de remplir les sacs... »

Tout était en effervescence autour du fleuve qui semblait s'écouler placidement dans la nuit, seul mouvement en dehors de l'interminable pluie. Barigazzi ne pipait mot, en continuant à sonder le centre du Pô, là où la péniche s'était éloignée. Maintenant, on distinguait seulement sa silhouette de trois quarts et la lumière encore allumée dans la cabine. Le vieil homme fit un geste des deux mains signifiant la perplexité ou le scepticisme. Personne ne dit mot pendant quelques minutes, à l'exception de la radio qui continuait à grésiller.

« Il s'en est allé comme une planche de bois jetée à l'eau, dit Torelli.

— On dirait que le courant l'a emporté », ajouta Ghezzi.

« Quoi ? Un écoulement ? Où ça ? Qui s'en occupe ? Vous devez mettre les sacs là où la digue est la plus basse... »

Le dialogue via radio se poursuivait, espacé par des vibrations électrostatiques.

« Dis-lui que Tonna est parti ! » hurla Vernizzi au jeune homme qui transmettait.

Ce dernier prit le micro et demanda la communication.

Puis il informa toutes les stations de la vallée que la péniche allait passer. C'est à ce moment-là que l'on s'aperçut de l'absence de Barigazzi. Gianna montra le quai d'un mouvement du menton.

« Il est sorti, informa-t-elle, il est allé contrôler à nouveau ses piquets. »

Torelli regarda l'horloge.

« Maintenant il les vérifie tous les quarts d'heure ? »

Annoncée par la lueur de ses phares, une voiture passa sur la route boueuse qui longeait la digue principale. Elle avançait lentement, en éclairant la pluie et en remorquant un chariot sur lequel était hissée une barque.

« Il l'emporte chez lui, dit Ghezzi.

— Avec ce temps, il vaut mieux l'avoir dans sa cour qu'au port, commenta Vernizzi.

— Il tarde à revenir, constata Torelli en faisant allusion à Barigazzi encore dehors.

— À force d'aller les voir et d'y faire des encoches, il finira par les confondre, ajouta Gianna. C'est parti pour une autre tournée ? » proposa-t-elle aussitôt en levant la bouteille.

La bouteille de fortanina trôna quelques instants comme saint Roch en pleine procession, mais personne ne répondit. Tous semblaient prendre conscience seulement à cet instant que l'absence de Barigazzi était bizarre.

« On a jusqu'à l'aube », dit laconiquement Torelli en regardant au-dehors l'épaisse obscurité.

Il essayait d'imaginer où était arrivé Tonna dans sa descente du fleuve. Il pouvait déjà être à Boretto, et peut-être voyait-il clignoter les lumières intermittentes des bateaux dragueurs cinglées par la pluie incessante.

Barigazzi entra sans dire un mot. Puis il s'assit et se mit à observer fixement le quai où quelques minutes auparavant était encore visible la silhouette carrée de la péniche.

« Ça continue à monter ? » demanda Vernizzi.

Le vieux batelier ne lui répondit pas. Il se leva en

prenant appui sur la table de ses deux mains et il se dirigea vers l'homme de la radio.

« Tu peux donner l'alerte par radio ou c'est mieux par téléphone ? »

Le jeune homme regarda d'un air interrogatif Barigazzi, qui semblait vraiment perplexe quant à la marche à suivre.

« Et Tonna ? » demanda alors Torelli.

Barigazzi opina du chef :

« Il est parti comme s'il avait le feu aux fesses. Il a jeté de travers la passerelle et il a oublié la corde sur le quai : je ne l'avais jamais vu faire ça.

— C'est ce que je disais, dit Vernizzi, ça n'avait rien d'une manœuvre.

— Personne n'a vu s'il travaillait sur le quai. »

Torelli regarda au-dehors à la manière d'un joueur de boules en train de viser.

« Nous ne pouvions pas le voir d'ici, conclut-il. Et avec cette obscurité...

— L'une des cordes paraît tranchée d'un coup sec porté de biais, comme avec une serpe. »

« La péniche signalée tout à l'heure doit être surveillée », disait l'homme de garde en parlant au micro. Bien sûr que c'est un danger : ce sont plus de deux cents tonnes sur l'eau... C'est la manœuvre de sortie du port qui nous a mis la puce à l'oreille, Tonna est un homme qui sait ce qu'il fait, alors que là... Oui, oui, je te répète qu'elle n'a pas les feux d'encombrement, seule la lumière de la cabine est allumée et par ce temps... Et puis il est parti sans moteur... Difficile de la guider avec le seul gouvernail... »

« Si elle entre en plein dans la pile d'un pont, elle est capable de le faire s'effondrer, fit remarquer Vernizzi.

— Il suffit qu'elle s'encastre en dessous en faisant barrage, puis l'eau aurait beau jeu de la soulever par le fond, ajouta Barigazzi. Maintenant le fleuve est très haut et les arches doivent être passées bien au centre. »

À présent, Vernizzi informait les carabiniers et la conversation se déroulait de façon fort laborieuse :

« Adjudant, je vous dis que je ne sais pas si Tonna est dans la péniche. Bien sûr qu'il faut un homme d'expérience, sinon... Nous avons vu la lumière s'allumer et s'éteindre deux fois, ensuite elle a pris le large... Quelqu'un devait forcément être à l'intérieur... Oui, les cordes ont été jetées n'importe comment. »

Il raccrocha presque en nage.

« L'adjudant dit qu'ils ne sont que deux, informa-t-il. Pour la Toussaint, tout le monde part en congé. Il préviendra les stations le long du fleuve. »

Ghezzi regarda vers l'énorme masse d'eau et il eut quasiment peur.

« Où peut-il bien être arrivé ?

— Peut-être à l'embouchure de l'Enza, répondit Barigazzi. Si ma bélandre était prête, je le suivrais. Je pourrais même me mettre à ses côtés...

— J'ai le sentiment que nous ne trouverons rien de joli », murmura Torelli.

Personne ne répliqua. Le fleuve grossi glissait rapidement et l'eau semblait dense. Le banc de sable au centre du lit était sur le point d'être submergé plus tôt que prévu. On ne voyait pas grand-chose au-delà des postes d'amarrage, mais dans cette obscurité liquide on pressentait que le grand bassin des jours d'étiage était plein désormais, et le niveau de l'eau, tout juste à portée du regard. Le seul endroit d'où on pouvait encore observer le courant d'en haut était la digue principale, et le village côtoyant le fleuve semblait s'être abîmé, près de l'énorme masse d'eau menaçant en surplomb les maisons.

Quelques voitures arrivèrent et une demi-douzaine de jeunes gens entrèrent pour savoir ce qui était arrivé à Tonna. Ils écoutèrent, puis ils sortirent dans une rafale d'humidité : ils disaient qu'ils suivraient le bateau depuis la digue avec leurs voitures qui allaient certainement plus vite que le courant. Désormais, la péniche avait relégué la crue au second plan.

« Oui, je suis là... Tu es sérieux ? La péniche a frotté contre la voie ferrée ? Il y a un quart d'heure ? »

Le silence s'était fait et tout le monde écoutait les communications radio. L'homme s'en occupant n'avait pas besoin de répéter ce qu'on lui rapportait car on devinait tout.

« C'est ce que je disais : il n'est même pas arrivé dans la province de Reggio Emilia, explosa Barigazzi. Ici, le lit s'élargit et l'eau ralentit.

— À cette heure-ci, on doit aussi être sur ses gardes sur la rive de Mantoue », constata Vernizzi.

On entendit claquer les portières de deux voitures, qui repartirent ensuite en remontant rapidement la digue. Dans le faisceau de lumière des phares, la pluie apparut encore intense.

« Si la coque s'est ouverte... avança Ghezzi, Tonna est foutu. Il sera bon pour les brochets.

— Avec tout le blé qu'il a en soute, ils viendront même du Piémont.

— Il a juste frotté, dit Barigazzi, et la péniche est robuste. Il pourrait y avoir des problèmes si elle se mettait à virer. Cela dépend du gouvernail. Et du bras qui l'utilise, ajouta-t-il d'un ton mystérieux.

— Si elle commence à virer, c'en est fini. Au premier pont qu'elle prend de travers, elle s'encastre et elle le fait tomber, estima Torelli.

— Certains ponts, il suffit qu'on les heurte avec la proue : vu son chargement, elle fait sauter les piles », continua le vieux batelier.

Cette fois, Gianna ne demanda même pas s'ils voulaient boire. Elle passa entre les tables et remplit les verres. Chacun tendit le sien sans broncher.

« Elle passe maintenant devant l'embouchure de l'Enza, informa l'homme de la radio.

— Espérons que le courant entrant ne la jette pas sur la rive lombarde », dit encore Barigazzi en regardant dans le vide en direction du quai.

On conversait en émettant des hypothèses, chacun parcourant mentalement le bout de fleuve où Tonna devait se trouver à présent. Mais il y avait une inquiétude plus profonde que celle-là, insistante comme l'eau qui continuait à tomber doucement, comme le courant qui entraîne tout. À la fin, de la bouche de Vernizzi sortit une phrase qui semblait obéir à une volonté ne lui appartenant pas :

« S'il est parti en toute hâte avec cette manœuvre si bizarre... »

Un silence prolongé suivit, accompagné du seul clapotis des gouttières. Jusqu'à ce que Gianna dise :

« Peut-être n'est-ce pas lui qui conduit.

— Ce qui est sûr, c'est que ça ne ressemble pas à Tonna de frotter contre les ponts », fit remarquer Barigazzi en laissant sa phrase en suspens.

Personne ne tira de conclusion. Tout semblait mystérieux. Le téléphone sonna : c'était l'un des hommes partis en voiture.

« Tous les villages sont en état d'alerte et beaucoup de gens sont montés sur la digue pour regarder passer la péniche, dit-il dans l'oreille de Vernizzi.

— Mais toi, tu l'as vue ?

— Oui, il y a quelques minutes. On dirait qu'elle voyage au hasard, elle dérive et parfois elle vire légèrement sur le côté, mais le courant la maintient droite. Sur l'un des flancs, on voit la trace du coup qui a fait sauter le vernis.

— La lumière de la cabine est encore allumée ?

— Oui, elle est restée allumée. Quand la péniche se rapproche de la berge, on peut voir à l'intérieur, mais on ne distingue pas grand-chose. Quelqu'un a dit avoir remarqué un homme au poste de commande. Selon moi il n'y a personne. »

Barigazzi, assis, était absorbé par ses pensées et paisible, tenant sa tête de la main gauche et reparcourant le cours du fleuve comme s'il le voyait depuis la proue de Tonna. Il imaginait où il était maintenant, il voyait les ponts s'approcher dans la nuit, sombres squelettes flottant sur le cours d'eau immense. Et la conversation à la radio confirmait souvent ses hypothèses.

« Que dis-tu ? Les carabiniers ont fermé tous les ponts jusqu'à Revere ? Seule la voie ferrée est ouverte ? Ils sont prêts à bloquer les convois ? »

« Il n'emboutira aucun pont, murmura Barigazzi d'un air presque absent.

— Il ira heurter les arches en fer de Pontelagoscuro, intervint Vernizzi, mais dans ce cas, on s'en occupera demain vers midi. »

Dans la salle, le silence se fit à nouveau. C'est alors que sur les tuiles on entendit une pluie battante.

« Ça augmente », fit Torelli.

Barigazzi secouait la tête à la manière des chevaux du Pô.

« Il n'arrivera jamais dans la province de Ferrare. Tonna n'affrontera jamais le delta par un temps pareil. Il s'arrêtera avant. »

Cependant le téléphone avait sonné et Gianna s'entretenait encore avec les hommes qui suivaient la péniche.

« Ah oui ? Quand ? Un seul ou plusieurs ? »

Ghezzi s'était approché et aurait voulu lui arracher le combiné.

« Ils disent qu'ils ont vu des ombres passer devant la lumière de la cabine. Peut-être étaient-elles plus d'une, mais apparemment ils n'ont pas reconnu la silhouette de Tonna », expliqua Gianna.

Barigazzi continuait à se représenter le fleuve, si large qu'en son milieu on ne devinait guère les berges. Un léger frémissement de feuille accompagné par la seule plainte du bateau qui progressait aveuglément au milieu des coups de fouet soudains de l'averse, dans le noir.

Il se figurait les digues peuplées de riverains debout, sous l'eau, comme des sentinelles, en train de saluer cette petite lumière sur le fleuve, tout juste perceptible comme le phare d'un vélo qui lentement passe sur le chemin de halage par une nuit de brouillard. Il devinait le tangage de la péniche chaque fois qu'elle rencontrait le creux d'une vague ou un tourbillon plus important, sa démarche par moments canine, de guingois, avant de retrouver un certain équilibre sur les flots houleux.

Il ne verrait rien, car on ne pouvait absolument rien voir. Le coude de Luzzara est un boyau de la largeur d'un gros boudin. C'est là que l'attendait l'endroit le plus délicat, si la péniche était vraiment gouvernée par une main inexpérimentée qui aurait remplacé Tonna. Là le courant déporte à cause du fond. L'eau, indolente à la surface, prend son essor par le fond, dans les rainures du sable, et pousse vers la digue. Sans moteur, on s'enlise, à moins d'anticiper la manœuvre trois cents mètres avant en longeant la rive lombarde et en l'abordant au plus près. Sans expérience, la péniche se planterait contre la digue comme un piquet.

« Dis-leur d'aller l'attendre à Luzzara, murmura Barigazzi, elle y sera vers trois heures, cette nuit. »

Mais il le dit d'une voix si ténue que personne ne comprit. Une averse éclaboussa la vitre.

« Vent du sud-ouest ! s'exclama Vernizzi. Mauvais signe. »

La pluie s'était renforcée et à présent les gouttières ruisselaient.

« Vous l'avez vue passer ? demanda l'homme de la radio. Quoi ? Elle est en train de passer maintenant ?

Regarde si tu vois quelqu'un dans la cabine. Non ? La lumière est allumée mais la cabine est vide ? Tout à l'heure, de la digue, on nous a dit que quelqu'un se déplaçait à l'intérieur. Oui, bien sûr. Je suis du même avis. Si la péniche était gouvernée par Tonna, elle ne bougerait pas de la sorte. Et elle ne frotterait pas non plus contre le pont de la voie ferrée. Tonna ? Mystère. Peut-être est-il dedans ou peut-être est-ce son petit-neveu qui conduit. Si on y a pensé ? Et comment, mais par ce temps, qui peut l'avoir vu s'enfuir ? Oui, je sais, c'est un vieux renard, mais ça me semble étrange... »

La conversation se diffusait dans la salle du cercle nautique sans que n'intervienne personne, comme si on écoutait un bulletin de guerre. Barigazzi se leva et sortit après avoir jeté un coup d'œil à l'horloge : il laissait passer une heure avant de contrôler les piquets. Sur le pas de la porte, il regarda derrière lui et fit une grimace : pour lui, tout était déjà clair.

Ghezzi s'approcha de la fenêtre en se mettant en sentinelle. On avait l'impression que le ciel déversait de l'encre. On distinguait seulement la surface sans reflets de l'eau en mouvement sur laquelle passait une procession de détritus. Et, plus avant, le bois de peupliers, une masse sombre et élancée, seul relief d'un paysage plat.

« L'eau a dépassé le lit d'inondation », dit-il.

Il ne pouvait la voir, il l'avait juste imaginée.

« Depuis une demi-heure, confirma Barigazzi.

— Espérons qu'il se vide doucement, fit Torelli.

— Elle monte de manière constante et elle s'épanchera doucement, rassura Barigazzi. Dans la peupleraie, il y en a déjà jusqu'à mi-jambe. Les bras morts doivent être pleins. »

Il se figurait l'eau qui glissait tranquillement par-dessus le bord du lit d'inondation comme celle qui débordait de la marmite dans laquelle mijotait la saucisse du jour de l'An.

« À cette heure, intervint Vernizzi, elle a certainement inondé la pierre tombale des résistants placée sous la digue.

— Elle va la consacrer. »

La radio reprit les communications. À Casalmaggiore, le fleuve avait atteint sa cote d'alerte et les habitations situées dans le lit d'inondation étaient évacuées par les militaires. Les personnes âgées avaient été emmenées presque de force sur les canots de sauvetage des pompiers. Certains, barricadés aux étages supérieurs, résistaient. Il était normal que le fleuve aille mouiller de temps en temps les pieds de ceux qui habitaient sur ses rives.

La camionnette des carabiniers passa sur le chemin de halage et descendit vers le cercle nautique. L'adjudant entra, l'imperméable ruisselant.

« L'ordre d'évacuation est arrivé pour toute la zone située en deçà de la digue principale », annonça-t-il.

C'était valable pour le cercle nautique aussi, bien entendu. Personne ne dit rien et l'adjudant y vit une sorte de défi.

« Vous pensez qu'en soixante-dix ans de Pô j'ignore quand il est temps d'enjamber la digue ? » demanda Barigazzi.

L'adjudant regarda la rangée de bouteilles derrière Gianna. Il savait à qui il avait affaire. Si le fleuve n'avait pas réussi à les extirper des berges, ce n'était certes pas lui qui pouvait y parvenir.

« Allez donc chez les fermiers de la peupleraie qui auront peut-être besoin des conseils du préfet. Ici, il n'y a que des gens expérimentés et des guérites de pêcheurs. »

L'adjudant fit une moue de dépit et changea de sujet en désignant la radio.

« Où est-elle maintenant ? »

Barigazzi vérifia l'horloge, puis il déclara :

« Elle est sur le point d'arriver à Guastalla. Mais soyez tranquille, elle n'emboutira pas le pont parce que là le courant la replacera au milieu du fleuve.

— Mes collègues le fermeront quoi qu'il en soit.

— Qu'ils le fassent. De toute façon, c'est une question d'heures : tôt ou tard, vous auriez dû le fermer quand même à cause de la crue. »

L'homme pesta, mais contre un autre pont : celui de la Fête des Morts, qui avait vidé sa caserne. Et puis contre la crue, qui lui donnait du travail alors qu'ils n'étaient que deux.

« Chaque année, le fleuve grossit pour la Toussaint, dit encore Barigazzi. Lui aussi célèbre ses morts et va visiter les cimetières. Il caresse les pierres tombales pendant quelques jours et fait miroiter les ossuaires dans les eaux qui, hors de leur lit, stagnent dans la limite des murs des cimetières et décantent en redevenant limpides. »

L'adjudant écouta en silence ce vieil homme bourru, qui était même capable de poésie lorsqu'il évoquait son univers. Il observa encore un instant ces hommes têtus, rivés aux berges du Pô, et il pensa qu'il était inutile de discuter ou d'insister. Ils lui rappelaient ses pêcheurs, là-bas, en Sicile.

Il repartit aussitôt avec sa camionnette. L'horloge au-dessus du comptoir indiquait minuit et Barigazzi continuait à voyager par l'esprit en suivant le parcours de la péniche. Avec le fleuve qui s'élargissait au-delà des francs-bords en les inondant doucement, le courant ralentirait. Des camions et des tracteurs avaient commencé à passer sur la digue. Il y avait des remorques chargées de meubles recouverts tant bien que mal de toiles les protégeant d'une eau qui à présent arrivait par à-coups, portée par le vent. Les peupliers dépouillés ondoyaient eux aussi dans le vaste coude formé par la digue, derrière le pressoir, où jadis se trouvaient les écuries des chevaux de trait.

« À cette heure, le monument aux résistants est déjà complètement sous l'eau, constata Vernizzi.

— Tel un mur contre la marée.

— Viendra le jour où personne ne s'en souviendra plus et où le courant l'emportera. Puis le pressoir le réduira en poussière, bougonna Torelli d'un ton amer.

— Même Tonna est en train d'être emporté par le courant », ajouta Barigazzi dans sa barbe.

Il avait la certitude que, vu le débit, il devait être plus ou moins à l'embouchure du Crostolo.

La radio, cependant, continuait à accompagner leurs conversations :

« Sous les arches de Boretto, tout s'est bien passé ? Une manœuvre parfaite ? Comme si Tonna lui-même était à la barre ? »

« Il l'a accomplie tant de fois qu'il pourrait la faire les yeux fermés », sourit Ghezzi.

Puis le téléphone, à nouveau, avec Gianna qui répétait à voix haute ce qu'elle entendait dans le combiné :

« Comment ? Tu dis qu'on ne voit pas âme qui vive dans la cabine ? Et la lumière est toujours allumée ? Elle est bien plus faible ? Elle avait viré d'un côté ? Après avoir rencontré un tourbillon ? Puis elle s'est redressée ? »

« C'est un bien beau bateau, constata Barigazzi. Il reste en équilibre sur l'eau sans besoin du gouvernail.

— En partant tout droit du pont de la Becca, on peut dormir jusqu'à porto Tolle », dit Vernizzi, non sans exagérer.

Tout le monde se tut en acquiesçant d'un air admiratif. Sur ce, Barigazzi s'exclama :

« Je ne crois pas que Tonna soit aux commandes ! »

Puis il se leva pour aller contrôler les piquets et marquer le niveau atteint à minuit.

Sur la route de la digue, il y avait plus de circulation qu'un dimanche. Les carabiniers passèrent à de nombreuses reprises avec leur lumière bleue clignotante pour escorter les tracteurs et les camions. Dans les habitacles embués, on devinait des mères avec leur enfant dans les bras enveloppé dans des étoffes colorées et des hommes avec des sacs en bandoulière. Les voix à la radio recommandaient que dans les villages soit mise en place la surveillance des maisons laissées vides.

« Huit centimètres de plus », informa Barigazzi en rentrant de sa nouvelle inspection.

L'homme de garde demanda la ligne et communiqua

immédiatement la nouvelle : le fleuve avait dépassé de plus de trois mètres le zéro hydrographique.

« Qu'ont-ils dit de Tonna ? demanda Barigazzi.

— Il voyage toujours au milieu du fleuve.

— S'il continue de la sorte, à trois heures il se plantera dans le coude de Luzzara. Une fois le pont de Viadana passé, il n'y a plus moyen de se déplacer vers la rive de Mantoue à moins d'utiliser le gouvernail et le moteur, prévint Barigazzi.

— S'il est mort, mieux vaudrait qu'il sombre avec sa péniche. C'est ce qu'il aurait souhaité », intervint Gianna.

C'était la première fois que l'on parlait de Tonna comme d'un mort, même si tout le monde y avait pensé.

« Aucune péniche ne passe sous quatre ponts, l'un à la suite de l'autre, toute seule », dit sèchement Ghezzi.

Ils gardèrent le silence et ce fut encore la radio qui le rompit : l'ordre avait été donné de préparer les sacs remplis et de les disposer en tas près des digues et à proximité des anciens écoulements.

Barigazzi sortit de nouveau du cercle nautique, traversa le parvis sous la pluie oblique et grimpa sur la digue. En quelques heures, le fleuve avait bien monté. Le banc de sable qui séparait le port des eaux avait été englouti et les barques restées amarrées paraissaient inquiètes comme des étalons. Le village semblait flotter dans un lac de lumières oxydées par l'humidité. Dans quelques heures, les poissons nageraient plus haut que les nids de pies. Une immense pression commençait à pousser contre la digue en cherchant obstinément le vide. Et une énorme masse d'eau menaçait les maisons.

Barigazzi revint vers le cercle nautique en affrontant les giclées de pluie, mais, auparavant, il alla jeter un autre coup d'œil aux piquets : les encoches faites à minuit étaient déjà largement noyées. Dans la cour, la lumière du cercle nautique fumait en s'évaporant, maltraitée par l'averse. Le vieil homme secoua ses vêtements sur le pas de la porte, puis il entra en appréciant la tiédeur des lieux. La radio parlait de Tonna.

« On a perdu la péniche de vue ? La lumière a complètement disparu ? Tu penses que c'est la batterie ? Ah ! Elle s'est déchargée jusqu'à être à plat ? Et maintenant on ne voit plus rien. Comment ? Les carabiniers ont allumé les projecteurs près du pont de Guastalla ? Ailleurs on a dirigé les phares des camionnettes vers le fleuve ? »

« Fin du spectacle, dit Vernizzi.

— Comme ça, on va commencer à s'occuper de la crue. »

Le téléphone sonna à nouveau.

« On est au courant, la lumière s'est éteinte, répondit Gianna. Vous revenez ? Barigazzi, ajouta-t-elle en fixant ce dernier, dit qu'elle se plantera dans le coude de Luzzara. Comment ? Il a dit vers trois heures. »

Après avoir raccroché, Gianna expliqua :

« Ils vont au pont de Guastalla pour la voir passer sous les projecteurs, puis ils l'attendront à Luzzara. »

Barigazzi haussa les épaules.

« Maintenant que la lumière s'est éteinte, ils l'abandonnent à son sort. »

La radio répéta le message plusieurs fois avec une insistance irritante :

« La péniche de Tonna voyage en descendant le fleuve. Elle est au centre du courant et semble gouvernée par une main inexpérimentée. Oui, oui, je te dis qu'elle avance sans moteur. »

« À ton avis qui peut naviguer par un temps pareil ? s'impatienta Torelli.

— Sans moteur, la batterie s'est déchargée.

— En quelques heures ?

— Tonna est avare comme la sécheresse de 1961. Il utilise celles dont se débarrassent les camionneurs.

— Il reste toujours dans le noir ou il s'éclaire à la lueur de cierges pour les morts. Après le crépuscule, il s'amarre au quai le plus proche, il descend manger, puis il va se coucher.

— C'est réjouissant, dis donc ! Même pour son petit-neveu...

— Et cette lumière allumée si longtemps, ici, aux postes d'amarrage... » ajouta Barigazzi.

Il fit un geste en tournant rapidement la main, doigts vers le haut, pour évoquer un engrenage cherchant en vain un couplage.

« Il ne faudra pas beaucoup de temps pour comprendre, intervint Vernizzi.

— Non, murmura Barigazzi en regardant l'horloge, dans moins de deux heures, nous saurons tout. »

Ils jetèrent un regard au-dessus du comptoir : l'horloge du cercle nautique marquait une heure passée.

Les carabiniers se présentèrent à nouveau.

« Je fais semblant de ne pas vous avoir vus », grommela l'adjudant, mouillé et enflé comme un biscuit à la cuiller imbibé de marsala.

Il avait mauvaise mine, quelque chose entre la grippe et la colère contenue.

« Adjudant, vous n'êtes pas habitué à cette eau », lui dit Barigazzi.

L'autre le toisa, l'air mauvais.

« Encore neuf centimètres. L'eau monte comme le fortanina que l'on vient de déboucher », poursuivit le vieil homme.

L'homme de la radio communiqua la nouvelle et de l'autre côté arrivèrent des informations tout aussi alarmantes.

« Si ça continue comme ça, vous devrez sonner la retraite même dans la caserne, commenta Barigazzi. Mais pour l'évacuer, vous ne devrez pas vous donner beaucoup de mal », ajouta-t-il en dévisageant le seul brigadier, un jeune homme timide et raide qui l'accompagnait.

L'adjudant but la grappa que Gianna lui avait versée de sa propre initiative.

Barigazzi redevint sérieux et s'approcha.

« Ça vous arrange que vos collègues de Luzzara soient chargés de l'autre affaire.

— Quelle affaire ? demanda l'homme d'un œil torve sous sa visière.

— Celle de la péniche. »

Le visage du carabinier s'éclaircit : il semblait vraiment soulagé.

« Pourquoi Luzzara ?

— Elle ira là-bas, affirma Barigazzi. Vous pouvez prévenir la caserne. Si quelqu'un s'y trouve encore. »

Vernizzi sortit pour uriner.

« Ça porte bonheur de le faire dans l'eau », se justifia-t-il.

Il habitait au village, mais il ne s'était jamais habitué à pisser entre les murs de cabinets. Lorsqu'il s'approcha de la berge, il constata à quel point le fleuve était monté. Aux pontons, quelqu'un travaillait avec le treuil pour mettre au sec une barque restée au mouillage. La pluie le frappait de biais, avec l'aide complice du vent poisseux du sud-ouest.

« T'as fait sur toi ? plaisanta Torelli en le voyant revenir avec le pantalon mouillé.

— N'importe quoi, j'ai salé la mer. »

La radio annonça que la péniche était à proximité du pont de Guastalla.

« Appelle les autres et demande s'ils la voient », ordonna Ghezzi à Gianna.

Quelques instants après, celle-ci parlait déjà :

« Elle avance lentement ? Les lumières sont encore éteintes, n'est-ce pas ? On ne la voit quasiment pas ? Les voitures ont dirigé leurs phares vers le fleuve et elle apparaît de temps en temps ? »

Barigazzi imaginait qu'il était sur la digue, au milieu de ces phares qui fouillaient la surface de l'eau en dénichant les restes d'un bateau dans un fatras flottant : barils, troncs, carcasses, branches...

« Elle est en train de passer ? hurlait Gianna dans le combiné. Oui ? Tu ne vois rien ? Que du noir ? Elle est passée au milieu ? Cette fois aussi, tout s'est bien passé. »

Barigazzi leva le regard vers la grande horloge murale.

« Désormais on est à la fin du spectacle », bougonna-t-il.

Les autres le regardèrent sans comprendre s'il faisait allusion à Tonna ou au fleuve. À tous les deux probablement. Vernizzi se rappela avoir entendu son eau murmurer sur la surface à peine un mètre en dessous de lui.

« Gianna, commence à ramasser les affaires », somma Barigazzi.

L'homme de la radio dévissa les ancrages en commençant à préparer le déménagement. Tout ce que l'on pouvait mettre à l'abri était entassé dans de grands cartons et le local du cercle nautique prit un air de précarité. Torelli fit une manœuvre dans la cour et pendant un instant la lumière des phares gifla l'eau au large sans trouver l'autre berge. Ensuite, on commença à charger. Au milieu du va-et-vient, la radio continuait à diffuser sa litanie d'une rive à l'autre dans une sorte de prière pour tout le chapelet d'épaves entraîné par le courant.

« Et elle ? demanda Vernizzi en indiquant l'horloge murale.

— L'eau n'arrive pas jusque-là, répondit Barigazzi avec assurance, en se rendant compte à cet instant qu'il manquait quelques minutes avant trois heures. Nous arrivons au dénouement », rappela-t-il à tout le monde.

Alors, dans la salle désormais presque totalement vide, le silence tomba. Une bouteille de vin blanc était restée sur une table. Gianna prit les verres en carton et versa le vin jusqu'à la dernière goutte. Puis des minutes d'attente passèrent ; la pluie battante sur le toit et l'hémorragie incessante des gouttières se détachaient sur ce fond de silence. Le téléphone sonna à trois heures dix et, en l'entendant, Gianna se leva promptement, mais Barigazzi l'arrêta d'un geste et se dirigea vers l'appareil. Sans laisser à ses interlocuteurs le temps de parler ou de dire « Allô », il demanda :

« Elle s'est ensablée ? »

Les présents le virent juste hocher la tête en silence. Puis, lentement, comme interdit, il posa le combiné.

« Il n'y a personne dans la péniche. »

2

Le commissaire Soneri souleva délicatement le drap blanc tandis que deux volontaires de l'Assistance publique protégeaient le mort avec des parapluies. Il vit un corps disloqué, comme sans os. Puis il leva les yeux vers les fenêtres du troisième étage, d'où un infirmier fixait la cour. L'un des volontaires lui indiqua l'auvent au-dessus de l'entrée. Il y avait la trace d'un choc sur le ciment humide de pluie.

« Il a d'abord percuté là », dit-il.

Soneri monta l'escalier jusqu'au troisième étage et poussa la porte du service de médecine générale. Une chaleur poisseuse l'accueillit, lui rappelant une cuisine pleine de casseroles en train de bouillir. La fenêtre éclairait un renfoncement dans le couloir où les infirmières avaient amassé les supports pour les perfusions et quelques chaises cassées. Contre l'un des murs, il y avait une vieille armoire en métal. Le couloir conduisait d'un côté aux cabinets de consultation et de l'autre à la salle des infirmières.

Soneri se pencha.

« Un saut impressionnant.

— Vous avez vu dans quel état il est ? »

Le commissaire fit signe que oui, avant de remarquer la vitre brisée d'un battant de la fenêtre. Les morceaux de verre étaient éparpillés par terre au milieu des appareils. Il se remit à la fenêtre. Les deux volontaires refermaient les parapluies et d'autres s'affairaient autour du mort. De biais, il reconnut le juge d'astreinte qui venait d'autoriser la levée du corps : Alemanni, un type ennuyeux qui parlait toujours de la retraite et n'y partait jamais.

L'armoire était ouverte : à l'intérieur se trouvaient de la lessive, des chiffons et des serpillières. Dans la partie inférieure, près de petites fentes, il y avait un choc qui semblait très récent. Il examina de l'intérieur la tôle de la porte : la peinture avait sauté à cause du coup et quelques éclats avaient fini sur le sol.

En empruntant à nouveau le couloir, Soneri se trouva nez à nez avec Juvara, le seul inspecteur qu'il supportait à ses côtés. Ce pour quoi il l'avait choisi comme assistant.

« Tu aurais pu me prévenir avant.

— Votre portable est coupé. »

Le commissaire vérifia. Il l'avait éteint après l'énième appel. Ou peut-être ne l'avait-il même pas allumé.

« Tu sais qui c'est ? demanda-t-il à Juvara.

— Oh, pour le savoir, je le sais… »

Soneri leva les yeux au ciel.

« Alors accouche ! »

Il était énervé. Quand il commençait à s'occuper d'une affaire qui lui semblait peu claire de prime abord, il se sentait comme un drogué en manque.

« Il s'appelle Tonna. Decimo Tonna. »

Ce nom ne disait rien à Soneri.

« Âge ?

— Soixante-seize. »

Il resta debout le cigare éteint dans la bouche, en regardant sur le mur derrière Juvara une planche anatomique qui reproduisait un appareil digestif. Le sien languissait depuis une heure, mais ce jour-là aussi il sauterait le déjeuner.

« Quelle est ton impression ? demanda-t-il à l'inspecteur.

— Je pencherais pour un suicide, répondit ce dernier, qui avait la manie des statistiques.

— Tu as appelé la police scientifique ?

— Oui, Nanetti arrive dans quelques minutes.

— Fais fermer ce cagibi. Personne ne doit y entrer avant qu'on fasse les relevés. »

Soneri se dirigea vers les cabinets de consultation, mais à mi-chemin il s'arrêta, revint sur ses pas et prit la direction opposée, vers la salle des infirmières. On aurait dit qu'il cherchait la sortie.

L'infirmière en chef fixa sévèrement le cigare tant qu'elle ne fut pas certaine qu'il était éteint. Le commissaire lui fit face quelques instants sans parler, car une pensée lui traversait l'esprit. Alors, elle prit la parole :

« Nous avons entendu un choc et une vitre qui volait en éclats et, lorsque nous sommes arrivées, la fenêtre était grande ouverte. Moi je n'ai pas pensé à ça. Puis j'ai entendu qu'en bas on criait, je me suis mise à la fenêtre et… conclut-elle en haussant les épaules dans un geste fataliste.

— Vous avez couru tout de suite à la fenêtre ?

— En fait, non. J'étais en ligne avec les urgences et mes collègues étaient occupées dans les chambres.

— Combien de temps s'est écoulé entre le bruit et le moment où vous êtes arrivées ? »

Le téléphone avait recommencé à sonner, mais l'infirmière n'y fit pas attention.

« Quelques minutes, pas plus. Nous pensions que le vent avait fait claquer la fenêtre. Là, les fenêtres restent toujours entrebâillées.

— Et vous n'avez vu personne ? »

L'infirmière en chef se pinça les lèvres et regarda autour d'elle.

« Non, par ici personne ne passe, sauf aux heures où les médecins consultent.

— Aujourd'hui y a-t-il eu des consultations ?

— Jusqu'à onze heures. Ensuite, quelques patients s'attardent un peu, mais jamais plus d'un quart d'heure.

— Est-ce que le nom Tonna vous dit quelque chose ? Tonna Decimo ?

— Tonna ? C'est Tonna qui s'est jeté par la fenêtre ?

— Vous le connaissez ?

— Mais tout le monde le connaît ! Un type étrange, qui fréquentait les salles d'attente parce qu'il aimait bavarder avec les patients. Il venait ici comme d'autres vont au bar.

— Souvent ?

— Une ou deux fois par semaine. Mais apparemment il fréquentait aussi d'autres services.

— Vous le connaissiez bien ?

— Non, bien, non. On le voyait comme une sorte de farfelu. Quelques mots échangés, mais de lui on ne savait rien. Il ne parlait que de maladies, même s'il me semblait en parfaite santé. »

Soneri secoua la tête en signe d'acquiescement. Les bizarreries l'intéressaient toujours : c'étaient des mines de renseignements.

« Vous semblait-il… et il tapota sa tempe avec l'index.

— À vous de voir, ricana l'infirmière en chef. Un type pareil, vous l'auriez trouvé normal ? »

Le commissaire hocha la tête plusieurs fois comme pour s'excuser. Son esprit voyageait désormais au loin ; c'est pourquoi il fit quelques pas en arrière, saluant entre deux haies d'infirmières intriguées.

Dans le couloir, il croisa Nanetti, le responsable de la police scientifique, qui lui sortit aussitôt :

« Ce n'est pas le genre à retomber sur ses pieds.

— Tu as vu le cadavre ? demanda Soneri.

— Un coup d'œil lorsqu'il était déjà dans le fourgon de la morgue.

— Que penses-tu de la vitre brisée ? demanda encore le commissaire.

— Je dis que c'est bizarre dans un suicide. Et puis il y a ce coup… »

Les deux se regardèrent en se comprenant au vol.

« Je crois que l'autopsie nous permettra d'y voir plus clair.

— Je le pense également, admit Soneri, même si… »

Mais il se tut soudain, parce qu'il ne trouvait jamais les mots pour expliquer ses pressentiments.

Il fit venir Juvara.

« Prends des renseignements dans le service et essaie d'avoir le plus d'informations possible sur ce Tonna.

Il passait ses matinées ici », conclut-il d'un ton qui ressemblait beaucoup à des excuses.

Peu après, il sortit de l'hôpital et se dirigea vers le cercle nautique. Il avait besoin de marcher et de fumer une moitié de cigare pour se calmer. Cette accumulation de bizarreries l'avait agité et la curiosité lui faisait le même effet que la caféine. De quoi pouvait-on bien parler en attendant une visite médicale ? Et que diable Tonna y trouvait-il de si intéressant ? En coupant par les rues étroites du vieux quartier populaire de l'Oltretorrente, il se retrouva face à une affiche de presse qui le contraignit à s'arrêter : « Une péniche de transport à la dérive sur le Pô en crue ». Quelques instants après, son portable écorcha la marche triomphale de l'*Aïda*. Depuis qu'on lui avait refilé ce portable, il n'avait jamais été capable d'en modifier la sonnerie.

« Tu as vu l'affaire de la péniche ? s'enquit Angela qui se montra étonnamment raccord.

— J'ai seulement vu l'affiche, je n'ai pas encore ouvert les journaux.

— On pourrait même écrire que tu as dévalisé une banque que tu ne t'en apercevrais pas, le taquina-t-elle en riant.

— J'ai les liasses de billets dans mon bureau...

— Eh bien, sache que la péniche a fait une vingtaine de kilomètres avant de se planter dans la digue à Luzzara, mais à l'intérieur il n'y avait personne.

— Ils ont dû mal attacher les amarres, dit sur un ton distrait Soneri, que cette histoire n'intéressait guère.

— Une amarre a été coupée, l'informa Angela. Aujourd'hui, au tribunal, on ne parlait que de ça.

— Ils l'ont probablement fait pour toucher l'argent de l'assurance.

— Mais non, on dit que le propriétaire, un certain Tonna, était attaché à cette péniche plus qu'à toute autre chose.

— Comment as-tu dit qu'il s'appelle ?

— Tonna ! Apparemment il est connu, sur le fleuve. Du moins c'est ce que disent mes confrères. Un transporteur. D'ailleurs, je ne crois pas qu'ils soient nombreux. »

La tête du commissaire bourdonnait comme une ruche en plein mois de mai. Angela hurlait presque dans le portable, mais ses réflexions le rendaient sourd.

« Tu m'écoutes ou tu es tombé dans une bouche d'égout ?

— Celui qui s'est suicidé aujourd'hui s'appelle aussi Tonna, murmura-t-il dans un état second, en parlant davantage à lui-même qu'à Angela.

— Bon, j'ai une audience maintenant, la défense d'office d'un pauvre type. Appelle-moi plus tard », lui dit-elle en coupant court à la discussion.

Soneri fourra son téléphone dans sa poche sans même clore la conversation et se dirigea vers son bureau. Il déchira le cordon noué autour des journaux et ouvrit le quotidien local. Dans les pages consacrées à la province, un gros titre ressortait : « Le mystère de la péniche ». Il lut les informations concernant son départ précipité, l'amarre sans doute coupée, le voyage sur les eaux en crue, la lumière qui s'était allumée puis éteinte, jusqu'à la surprise de la cabine trouvée vide. Et puis ce nom de famille : Tonna. Le même que celui du suicidé.

Le propriétaire de la péniche s'appelait Anteo et avait deux ans de plus que Decimo.

Il composa le numéro de Juvara :

« Laisse tomber l'hôpital et viens ici, il y a quelque chose de plus intéressant à faire. »

Ensuite, il appela la salle des opérations.

« Pouvez-vous vérifier deux noms et prénoms pour moi ? Tonna Anteo et Tonna Decimo. »

Au même moment, le téléphone sonna. Alemanni était toujours sinistre au début d'un échange :

« Vous rappelez-vous le mort d'aujourd'hui ? Celui qui s'est écrasé ? L'histoire de l'hôpital ?

— Bien sûr, monsieur.

— J'ai fixé l'autopsie à demain matin. Même si je ne crois pas que...

— On ne sait jamais, monsieur. »

Nanetti traversa la cour qui séparait la brigade mobile de la police scientifique, avec l'allure d'une bille roulant sur le pavé.

« J'arrive juste à temps pour le digestif, dit-il en observant Soneri qui finissait de mâcher un sandwich au jambon.

— Ponctuel comme une montre suisse, lui répondit le commissaire en prélevant de son placard une bouteille de porto. Ce vin-là a été mis au monde après quinze années de gestation en tonneau.

— Tu comprends maintenant pourquoi je préfère venir te voir plutôt que l'inverse.

— Tu as trouvé quelque chose ? »

Nanetti lissa ses moustaches. Il ressemblait à un chien à l'arrêt.

« Des choses bizarres plus que des preuves. Mais mon expérience me dit…

— Des trucs bizarres, il y en a autant que tu veux, intervint le commissaire en levant son verre de porto pour le toast. Imagine que le suicidé passait des heures dans les salles d'attente pour parler avec les patients.

— Il y a la vitre. Et ce coup porté…

— À moi aussi le coup a semblé suspect.

— Bref, continua Nanetti d'un ton ferme, quelqu'un qui se suicide ne brise pas la vitre pour ouvrir une fenêtre.

— D'autant plus qu'elle était toujours entrouverte.

— D'autant plus que nous avons trouvé du sang sur un bout de verre. Et ce n'est pas celui du mort. »

Soneri posa son verre et fixa son collègue. Tout était clair dans son esprit, mais d'un signe du cigare il invita Nanetti à poursuivre.

« Le coup, celui qui a abîmé l'armoire, est récent et, sur la partie externe de la tôle, il y a des traces de caoutchouc. Nous avons vérifié et il s'agit du caoutchouc des chaussures que portait le mort. »

Le commissaire acquiesça d'un air convaincu.

« Tu as compris, n'est-ce pas ? Il y a eu une lutte corps à corps. Et à la fin, l'un des deux a volé par la fenêtre du troisième étage.

— C'est clair », conclut Soneri.

Au même moment, le téléphone sonna. C'était l'agent du commissariat central :

« Tonna Anteo, né en 1921, batelier de profession, ancien soldat de la République de Salò et dignitaire fasciste de la basse plaine de Crémone, célibataire, rien à signaler présentement. »

Le commissaire mâchouilla son cigare sous les yeux de Nanetti, qui percevait son agitation.

« Tonna Decimo, continua l'agent, né en 1923, ancien artisan, lui aussi ancien militant fasciste, expatrié en Amérique du Sud dans les années cinquante, retourné au pays en 1962, un internement d'office il y a cinq ans, actuellement rien à signaler. »

Soneri allait raccrocher, prenant une pause faite par l'agent pour la fin des informations.

« Allô ? Commissaire ?

— Oui, dis-moi.

— Les deux Tonna… ils étaient frères. »

Soneri, cette fois, laissa tomber lourdement le combiné sur sa base comme s'il avait glissé de sa main.

« À en juger par ton expression, cette histoire devient intéressante », fit remarquer Nanetti en le regardant d'un air malicieux.

Le commissaire réfléchissait. Deux frères au centre de deux affaires à quelques kilomètres de distance. L'un qui vole par la fenêtre, l'autre qui disparaît alors que sa péniche dérive le long du fleuve en crue. Il se figura le Pô et toute cette eau lui rappela qu'il pleuvait sans trêve depuis cinq jours.

Nanetti se leva péniblement de sa chaise : cette humidité réveillait ses douleurs articulaires.

« On se voit demain pour les résultats de l'autopsie. »

Soneri fit signe que oui, mais il observait le porto que sa main faisait tournoyer dans le verre en l'hypnotisant presque. Dans ce remous d'un vieux rouge brique, il lui semblait voir Tonna, le batelier, voyager sur le courant et finir ensuite englouti par les eaux. Il descendit le vin en une gorgée et prit l'annuaire des casernes de la province.

Dans la caserne de Torricella, le téléphone sonna longtemps avant que le brigadier ne se décide à répondre. Il écouta en silence le récit de Soneri, bien que ce dernier eût l'impression qu'il le faisait non sans une irritation extrême.

« Si l'un des deux est mort et l'autre a disparu… » expliquait-il.

L'adjudant lui fit comprendre qu'il s'occupait de tout en collaboration avec ses collègues de Luzzara et que, de toute façon, le fleuve en crue lui suffisait largement.

« Je dois évacuer des familles en danger et nos forces sont limitées », dit-il en mettant fin à la conversation.

Même son de cloche à Luzzara, où la péniche avait été remorquée au port fluvial et ancrée solidement après la mise sous scellés. Soneri avait envie de se rendre sur place, mais il se souvint qu'un magistrat devait l'y autoriser. Et puis, est-ce que les deux affaires étaient liées ou s'agissait-il de simples coïncidences ?

Alemanni était introuvable. Il fallait attendre le lendemain les résultats de l'autopsie.

À cet instant, en soufflant, Juvara fit son entrée : il devait avoir beaucoup marché. Le commissaire l'observa avec ironie.

« Le demi-fond n'est pas ta spécialité.

— Le parc automobile non plus n'est pas le point fort de l'administration : la batterie m'a lâché.

— Tu as trouvé quelque chose d'intéressant à l'hôpital ?

— On m'avait donné le nom d'un patient qui connaissait bien Tonna, mais vous m'avez appelé juste après…

— C'est qui ?

— Il s'appelle Sartori, il a une insuffisance rénale et il est en dialyse un jour sur deux.

— En néphrologie ?

— Oui, c'est ça. Il y va les mardis, jeudis et samedis vers quatre heures. »

Il lui restait une demi-heure, Soneri était indécis. Il rappela Alemanni, mais le téléphone fixe sonnait dans le vide et le portable était éteint. Il se leva par nervosité et fit quelques pas jusqu'à la fenêtre, de laquelle on voyait la cour de la préfecture de police traversée par le va-et-vient des voitures et des parapluies. Puis il prit son Montgomery et se mit en route sans oublier de recommander à Juvara d'appeler les carabiniers de Torricella et de Luzzara pour savoir s'il y avait du nouveau à propos de Tonna le batelier.

Sartori avait dû être un homme robuste, mais aujourd'hui, avec sa peau flétrie couleur patte de poulet, il semblait surnager juste au-dessus du niveau de la survie.

« Vous pouvez me poser toutes les questions que vous voulez, j'ai du temps de toute façon, dit-il avec ironie en tendant son bras à l'infirmière.

— Je suis ici pour Tonna.

— Le pauvre, quelle mauvaise idée il a eue…

— Je crois que… »

Soneri était sur le point de révéler des conclusions qu'il était prématuré de divulguer.

« Bref, en parlant avec ceux qui le connaissaient, nous pourrions peut-être expliquer pourquoi... » finit-il par dire en s'embrouillant irrémédiablement.

L'homme sourit en s'étendant sur le lit.

« Oui, c'était un type plutôt étrange, mais d'une grande bonté aussi.

— Vous a-t-il déjà dit pourquoi il venait ici parmi les patients ?

— En fait, non. Mais je crois l'avoir deviné. Il ressentait le besoin urgent de se rendre utile et puis il se sentait très seul. Sa famille ne s'occupait pas de lui. Son frère était toujours sur le Pô.

— Il a disparu », l'informa Soneri.

Son interlocuteur se rembrunit.

« De quoi parliez-vous ?

— Oh, de plein de choses. Je crois qu'il lui fallait communiquer et qu'il ne trouvait pas meilleur moyen que de venir ici au contact de ceux qui souffrent. Un peu par esprit missionnaire, à mon avis.

— Parliez-vous aussi du passé ? demanda le commissaire en considérant l'âge avancé de Sartori.

— Non, jamais. Quand le discours portait sur ça, il changeait de conversation. Il préférait le présent. Il disait qu'il s'agissait d'années de misère qu'il évoquait à contrecœur. Mais, ajouta l'homme, il avait du mal à éviter ce sujet. Vous savez qu'ici nous avons tous un certain âge et les personnes âgées parlent de leur époque, celle qui les a vues le plus heureuses.

— Eh oui », fit le commissaire, en ressassant.

C'est instinctivement qu'il pensa à ses années d'université, à l'époque où il avait connu sa femme, aux années de bonheur avant qu'elle ne meure, et il dut repousser une bouffée de nostalgie.

« Lui restait là, parfois presque en retrait, poursuivit Sartori. Certains jours, même, il ne soufflait mot, il se contentait d'écouter les autres. Et il ne s'agissait jamais de grands discours : la plupart du temps, ici, on parle de maladies. »

Soneri demeura silencieux et sa concentration avait dû imprimer sur son visage une drôle d'expression car, quand il leva à nouveau les yeux, l'homme le regardait avec une insistance légèrement narquoise.

« Qui sait pour quelle raison il venait ici et n'allait pas à l'amicale des boulistes. Ou au bar. Il existe tellement d'associations... réfléchit tout haut le commissaire.

— Allez comprendre... Je me suis posé la même question, reconnut Sartori. Je crois que cela ne lui convenait pas. Comme fréquentation, je veux dire. Tandis qu'ici il rencontrait des personnes souffrantes auxquelles il offrait un peu de réconfort et une aide pratique, parfois. Ou bien il venait pour le plaisir d'avoir de la compagnie. Il s'asseyait sur cette chaise-là (il indiqua un endroit dans le coin) et il regardait les allées et venues des patients. Chaque fois que quelqu'un qu'il connaissait arrivait, il levait timidement la main pour le saluer, mais ce n'était jamais lui qui entamait la conversation.

— Restait-il ici longtemps ?

— Oh, bien entendu. Jusqu'au départ du dernier patient. Les infirmières le trouvaient seul dans la salle d'attente et c'est tout juste si elles ne devaient pas le jeter dehors.

— Il ne venait pas qu'ici, toutefois.

— Non. Il faisait aussi le tour d'autres cabinets de consultation. Il s'informait des jours de visite et des gardes. Il entrait le matin et il restait jusqu'au soir : dix heures sans interruption. Et pour les repas, il avait su gagner l'amitié des infirmières, qui lui mettaient de côté un plateau aux heures du déjeuner et du dîner.

— Vous a-t-il dit quels services il fréquentait ?

— Celui-ci et les quatre autres services médicaux situés dans le même pavillon. Peut-être même quelques autres lieux… »

L'appareil à dialyse ronflait en épurant goutte par goutte le sang de Sartori. Autour se trouvaient d'autres patients qui écoutaient les discours du commissaire comme le faisait Tonna.

« Peu à peu, poursuivit l'homme, nous sommes devenus amis, nous qui nous retrouvons trois fois par semaine dans cette salle. Désormais, cela fait des années que nous nous connaissons. Tonna, ajouta-t-il après une pause, il n'était pas malade, lui, bien au contraire.

— Vraiment, vous n'avez jamais parlé d'autre chose ? Uniquement de maladies ? »

Sartori souleva son bras sans les aiguilles et fit un geste qui ressemblait à du désappointement.

« Lorsque nous discutions d'autre chose, lui gardait le silence. Il était difficile de le faire participer. Des fois, il feignait de ne pas entendre ou se levait pour aller aux toilettes.

— Il y a quelques années il a été malade. Mentalement, j'entends, précisa Soneri.

— Nous l'avons su. Nous ne nous connaissions pas, à l'époque. On m'a raconté qu'il a eu une phase dépressive et qu'il risquait de se faire du mal. Peut-être, proposa Sartori en faisant allusion à la chute par la fenêtre, s'est-il agi d'une résurgence de cette maladie.

— Peut-être, répliqua sans grande conviction le commissaire.

— Si on nous avait vus ensemble, lui et moi, poursuivit l'homme, on aurait sûrement dit que c'était moi le moribond. Et pourtant…

— La mort rôde autour de nous et quelquefois elle prend l'apparence de l'innocence, dit Soneri en se levant. Qui mieux que moi peut le savoir, moi qui m'occupe des crimes ? »

Sartori sourit.

« Cela ne fait aucun doute, commissaire. »

Dans la cour de l'hôpital, il faisait sombre et on n'entendait que le bruit de l'eau qui continuait à tomber sur les feuilles détrempées. Une grosse goutte s'écrasa en plein sur la braise du cigare de Soneri, l'éteignant dans un crépitement. Ce n'est qu'à cet instant qu'il décida d'ouvrir son parapluie : il pleuvait si fort qu'il n'aurait pu, autrement, tirer trois bouffées de son cigare à la suite. Chemin faisant, il se demandait pourquoi le Tonna des villes passait son temps dans un hôpital. Que trouvait-il là qu'il n'y avait pas ailleurs ? Ou alors, que ne trouvait-il pas là ?

Son portable sonna et il dut batailler longtemps dans ses poches parce qu'il ne se souvenait plus où il l'avait mis.

« Je crois que nos amis carabiniers ne s'inquiètent pas beaucoup de la disparition du batelier, commença Juvara. À Torricella, on m'a répondu d'un ton irrité, encore un peu et on me priait de ne pas leur casser les couilles.

— Pardonne-leur car ils ne savent pas ce qu'ils font.

— Commissaire, vous prêchez maintenant ?

— Non, je pense que cette histoire n'est pas belle du tout et que nos cousins carabiniers n'en savent strictement rien. »

Il passa le long des faubourgs et la vieille ville lui apparut comme une éponge imbibée d'eau. Les maisons avaient perdu leur pâle allégresse couleur paille des beaux jours et elles exsudaient, suintantes comme si elles venaient de sortir du torrent gonflé d'eau qui coulait tout près.

Quand il arriva à la préfecture de police, il trouva les fonctionnaires occupés à préparer une réunion de crise sur la crue du fleuve. Personne ne lui posa de questions sur Tonna et même Alemanni était introuvable.

« Si ça continue, les carabiniers vont nous évacuer aussi », pensa Soneri en revoyant l'eau du torrent qui recouvrait presque les arches des ponts de la ville. Au même moment, il entendit à nouveau l'air de Verdi massacré.

« Tu devais me rappeler, tu as oublié ? hurla Angela.

— Le prélude n'est pas dans le ton. Tu as attaqué au moins trois notes trop haut.

— Un de ces jours, tu iras valser là où je pense. Tu te souviens pour ce soir ?

— Bien sûr, nous avions déjà tout décidé, pas vrai ?

— Tu sais que les rendez-vous doivent être confirmés ?

— J'ai appris que pour les avocats ça marche comme ça, mais les policiers sont à la merci… »

Il ne parvint pas à finir sa phrase car elle lui raccrocha au nez.

Il détestait les scènes de ménage, mais il avait été absolument sincère : il ne programmait jamais ses journées et, s'il le faisait, il était certain que tout risquait de tomber à l'eau. Par exemple, qui aurait pu imaginer que Tonna avait été assassiné ? Le coup de fil de la matinée lui revint en mémoire : un suicide à l'hôpital, il fallait quelqu'un de la police pour les vérifications de routine. Mais en fait…

Juvara apparut sur le pas de la porte au moment où il pensait qu'il serait inutile de rappeler Angela. Quand elle était en colère, elle coupait tous ses téléphones.

« Deux gros fachos, deux têtes brûlées », dit son assistant sans préambule.

Le commissaire saisit au vol la référence et ne fit aucun commentaire. Il se sentait bien seul face à un mystère qui l'attirait instinctivement, mais qui, en même temps, lui semblait inquiétant et pénible.

« Tu as réussi à en savoir plus ?

— Ils vivaient isolés. Autour d'eux, il y avait une espèce de cocon.

— Ça, je le savais déjà.

— J'ai fait des recherches sur Internet pour savoir si dans ces années-là… »

Le commissaire sentit monter en lui une certaine exaspération. Il détestait l'acharnement informatique de Juvara, même s'il savait que les jeunes générations de policiers passaient plus de temps devant leur clavier que devant les délinquants.

« Tu crois pouvoir tirer quelque chose de cette machine ? »

Juvara resta silencieux alors que Soneri continuait à composer en vain le numéro d'Alemanni. Il devait coûte que coûte obtenir l'autorisation d'étendre ses investigations au Pô.

Quand il posa à nouveau les yeux sur la porte, l'inspecteur avait disparu. Leurs caractères se compensaient à merveille. L'autre comprenait avec un synchronisme parfait à quel moment il fallait le laisser seul. Lui pensait au Pô, à la crue, au Tonna batelier laissant sa péniche à un complice maladroit, se rendant en ville, puis éliminant son frère pour un mobile inavouable. Est-ce que les choses pouvaient s'être déroulées ainsi ? Ou alors les deux avaient été tués à quelques heures d'intervalle par un seul meurtrier ? Ou bien, enfin, il ne s'agissait que d'une coïncidence ? Il aperçut l'éventail infini des possibilités, qui chaque fois lui procurait un sentiment d'angoisse lié à l'idée de choisir, et qui changeait le cours de ses journées. Justement, Angela se matérialisa devant lui avec un air menaçant.

« Commissaire, prépare tes affaires et suis-moi.

— Je suis en état d'arrestation ?

— Ce serait trop beau pour toi. Cela va être bien pire. »

Quand ils furent dans la cour, Angela ouvrit le parapluie et Soneri prit son bras pour rester à l'abri, mais elle fit semblant de le repousser.

« Quel geste affectueux ! Il faut cette pluie pour te convaincre de rester près de moi. »

Il était sur le point de faire demi-tour, mais Angela le saisit par un pan de son Montgomery. Il tenta de se dégager sous les yeux d'une patrouille qui était de retour, puis il renonça : cette joute plus badine qu'enragée l'aurait ridiculisé.

« Ne vas pas croire que je te lâche... » dit-elle en riant.

Alors Soneri rit à son tour :

« Dommage, je m'étais fait des illusions. »

En le prenant par le bras, elle lui donna un coup de coude au niveau de la rate.

« Comme ça, tu verras les étoiles malgré le temps. »

Quand ils arrivèrent au *Milord*, Angela toisa Alceste, comme toujours. Ce dernier lui rendit la politesse lorsqu'il s'entendit encore commander des légumes cuits sur le gril et de l'eau minérale plate.

Soneri, en revanche, avait déjà remarqué un ajout au menu, écrit au crayon : « Polenta frite à la sauce de sanglier », quand la sonnerie de son portable retentit à nouveau.

Alemanni lui parla de son habituelle voix désagréable, ses mots semblant polis par du papier de verre :

« J'ai été occupé tout l'après-midi à la réunion de crise sur la crue. On m'a fait savoir que vous m'avez cherché.

— En effet. Je crois qu'il ne s'agit pas d'un suicide et que l'enquête doit être élargie.

— Soyez plus clair, répondit Alemanni après une longue pause durant laquelle Soneri eut l'impression qu'il avalait une rasade de vinaigre.

— En premier lieu, avec mes collègues de la police scientifique, nous avons examiné certains détails qui font penser qu'il y a eu une seconde personne et une lutte corps à corps. D'autre part, il y a un autre Tonna qui a disparu tandis que sa péniche zigzaguait sur le Pô. Et il s'agit du frère du mort. »

Ce dernier fait sembla frapper le magistrat plus que le premier.

« Vous voudriez que j'associe l'enquête sur la péniche à celle relative au mort à l'hôpital ?

— Vous savez mieux que moi qu'il est très probable qu'il y ait un lien... »

Il s'ensuivit encore une longue pause, couverte par des bruits qui pouvaient suggérer les mouvements d'un dentier ramolli.

« D'accord, consentit enfin Alemanni, cela signifie que si vous vous êtes trompé dans vos conjectures, il nous faudra abandonner l'enquête et moi j'irai à la retraite en laissant le souvenir d'un pauvre type. En tout état de cause, permettez-moi d'attendre les résultats de l'autopsie demain matin avant de procéder à l'autorisation que vous m'avez demandée. »

Cette dernière précision froissa le commissaire. Vingt années d'expérience ne l'avaient pas mis à l'abri de la défiance d'un vieux magistrat. Il raccrocha de mauvaise humeur et par dépit il coupa complètement son portable.

« Commissaire, tu sais que tu dois toujours être joignable », commenta Angela avec ironie.

Il la considéra avec hostilité.

« Toi tu sais où me trouver et tu te déplaces toujours.

— Tu préfères les coups de fil de ton magistrat ? dit-elle pour se moquer.

— Quand tu t'y mets, tu réussis même à faire pire », répondit-il en mettant à l'écart ses tibias de peur qu'Angela ne lui assène un coup de pied sous la table.

Mais il ne se produisit rien et elle le regarda radoucie.

« Ne te vexe pas : les enthousiastes ne s'entendent jamais avec les résignés. »

Et peu après, à nouveau pleine de rancœur, en pensant à cette espèce d'assignation au bureau :

« Dommage que tu ne te laisses ravir que par ton travail. »

3

Son agitation anticipa de beaucoup son réveil. Il s'assit sur le lit et la première chose qu'il entendit fut la pluie qui continuait à frapper obstinément les toits. Il faisait encore nuit et des nuages pesants encombraient le ciel. Toute cette eau qui coulait le long des rues avait délavé la ville qui semblait livide comme aux dernières gouttes d'une hémorragie. Il fit quelques pas jusqu'à la cafetière sans allumer la lumière. La flamme bleue du gaz l'hypnotisa en lâchant à nouveau la bride à ses pensées. Plus que l'autopsie qui allait se dérouler dans la matinée, il était obsédé par l'idée de la péniche. Peut-être était-ce à cause de toute cette pluie.

Il profita de la pénombre jusqu'à ce que la lumière couleur cendre du matin s'éclaircisse sombrement au-dessus des toits. Alors, avec beaucoup d'avance, il sortit et prit la direction de la morgue. L'eau continuait à tomber de nuages bas, effrangés côté terre, qui lui rappelèrent les entrailles laineuses des matelas éventrés par la brigade des stups lors des perquisitions. Il avait l'impression que le seul endroit au sec était la braise de son cigare. Même ses os, aux premiers pas du matin, s'étaient amollis comme des manches de pelles que l'on mettrait à tremper.

Nanetti était déjà à l'intérieur et s'était assis près du radiateur, alors qu'Alemanni et le médecin légiste devaient encore arriver.

« Pour sécher, tu devrais te glisser dans un four à pain, dit Soneri.

— Si cette pluie ne cesse pas, je prends un congé maladie. J'ai même mal aux ongles des pieds.

— Tu t'es fait une idée ? » changea de conversation le commissaire.

Nanetti fit une grimace.

« On parie ?

— Sur quoi ?

— Tu as compris, ne fais pas l'innocent. Pour moi, Tonna n'est pas passé par la fenêtre vivant. Au minimum, il était inconscient.

— Tu as remarqué quelque chose sur le cadavre ?

— Oui, j'ai bien vu quelque chose de bizarre, mais ce n'est pas la question… répondit Nanetti, s'interrompant ensuite pour réfléchir. Est-il possible qu'un homme soit jeté par la fenêtre d'un cagibi s'il résiste ?

— Je me suis posé la même question, mais j'ai appris que la réalité rend possibles des choses qui en théorie nous semblent absurdes. Imagine que l'assassin ait été un jeune homme, très robuste en plus. Tonna, lui, avait soixante-seize ans et il était plutôt menu…

— Il aurait crié. On aurait entendu du raffut. Bien plus qu'un coup de pied dans l'armoire et quelques bris de verre qui tombent. »

À ce moment précis, la porte s'ouvrit et Alemanni fit son apparition accompagné du médecin légiste. Soneri salua ce dernier et accueillit froidement le magistrat. Il avait encore du mal à digérer les phrases de la veille au soir.

« Si vous souhaitez vous installer, vous pouvez assister à l'autopsie », proposa le médecin.

Le commissaire échangea un regard complice avec Nanetti, qui se leva à contrecœur. Quand il passa près de lui, Soneri lui dit :

« Tu t'es assez échauffé, il est temps que tu entres sur le terrain.

— Si je gagne le pari, répliqua Nanetti, tu m'offres un déjeuner au *Milord.* »

Le commissaire n'avait jamais douté que l'enjeu serait celui-là. Il se leva et gagna la sortie en s'arrêtant devant la porte. On voyait la pluie tomber avec une vigueur tropicale et les rangées de pigeons transis de froid sous les corniches. Il pensa au Pô, où tout confluait et où lui aussi finirait tôt ou tard. Comme l'eau coule toujours vers le bas. Il était sur le point de se diriger vers le téléphone mural quand il se souvint qu'il était en possession d'un portable. Et, en plus, son administration lui payait la facture. Juvara répondit promptement et Soneri imagina qu'il était devant son écran en train de naviguer sur le Net.

« Du nouveau, chef?

— Il est encore tôt, ils viennent d'entrer. Mais toi plutôt, tu en as?

— Je ne parviens pas à avoir des nouvelles fraîches

car les brigadiers me répondent que les patrouilles sont dehors.

— À quelle hauteur est arrivé le fleuve ?

— L'état d'urgence a été proclamé même pour les habitants de la seconde zone, à proximité de la digue. »

La situation ne cessait de s'aggraver. Les météorologues disaient que le salut arriverait par les vents froids de l'est qui gèleraient les montagnes et solidifieraient toute cette eau. Soneri regarda les gouttes décomposées par l'air. Le vent s'était vraiment levé, mais il semblait ne pas savoir quelle route prendre. Il arrachait des lambeaux de fumée aux cheminées et la répandait alentour violemment. Dans les allées de l'hôpital, des rafales de vent se heurtaient les unes aux autres en formant des tourbillons. La même chose se vérifiait dans son esprit, dans le magma des hypothèses.

Lorsque la braise s'éteignit au contact humide du cigare consumé, la porte de la salle des autopsies s'ouvrit. Le premier à sortir fut le médecin légiste qui, dès qu'il vit le commissaire, posa sa sacoche en cuir sur la table basse de la salle d'attente et remonta son pantalon.

« Malheureusement, je ne crois pas vous avoir été très utile. Il a de nombreuses blessures, qui sont graves, toutes compatibles avec une chute du troisième étage. »

Après une pause, il ajouta :

« Mais aussi avec autre chose. »

Alemanni et Nanetti arrivèrent en discutant. Quand ils furent devant Soneri, ils se turent, chacun attendant que l'autre commence à parler. Le magistrat brisa enfin la glace :

« Nous n'avons pas eu de réponses déterminantes, déclara-t-il. N'était-ce pour les indices trouvés par la police scientifique sur la fenêtre de laquelle il s'est jeté, moi je n'aurais aucune hésitation à classer le tout comme suicide. Votre collègue, toutefois, me disait... » ajouta-t-il en indiquant Nanetti d'un geste vague et sceptique.

Le commissaire retint sa colère face à cet homme chez qui la vieillesse s'était aigrie jusqu'à former une dureté désagréable. Pendant un instant, leurs yeux échangèrent un regard tendu, interrompu seulement par le médecin légiste qui partait en saluant. Au bruit sourd produit par la porte qui se fermait, Soneri demanda :

« Que comptez-vous faire ? »

Alemanni le fixa d'un air égaré et seulement alors le commissaire comprit ce qui se cachait derrière cette attitude d'indifférence altière : il avait face à lui un homme rendu pleutre par une carrière passée dans l'ombre. Aussi prit-il quelques secondes avant d'ajouter, avec la plus grande suffisance :

« Monsieur, je crois qu'il est opportun de s'occuper aussi de l'autre Tonna, je pense qu'il pourrait y avoir un lien. »

Alemanni se courba encore plus en baissant sa tête chenue.

« Si c'est un scrupule qui vous taraude... Aujourd'hui je vous signerai l'autorisation. »

Lorsqu'il s'en fut allé, Nanetti soupira :

« Tu as réussi la partie la plus délicate de l'autopsie. »

Soneri ne répliqua pas. Avec cette autorisation signée

de mauvais gré, il se sentirait sous surveillance pendant toute la durée de l'enquête.

« Ne t'inquiète pas, le consola son collègue, chaque fois, c'est la même comédie. Il n'a pas confiance en lui et donc il se défile pour se sauver quoi qu'il arrive.

— J'espérais qu'il... » s'emporta Soneri avant de s'arrêter net.

Et quand Nanetti fut sur le point de s'en aller, il le tira par la manche.

« Tu as oublié ton pari ?

— Tu es loin de l'avoir gagné.

— Alemanni a décidé de signer, en définitive.

— Je te concède la victoire seulement parce que avec cette tache de sang sur la vitre...

— On réglera nos comptes à table. »

Un peu plus tard, ils étaient assis dans une salle à l'écart qu'Alceste n'accordait qu'à ses clients de vieille date.

« Tu pars quand ? lui demanda Nanetti.

— Aujourd'hui dans l'après-midi. Il faut vingt minutes. »

Le déjeuner faisant suite à un pari était célébré de manière rituelle et prévoyait un menu fixe. Jambon de Parme pour commencer, puis anolini au bouillon et sanglier accompagné de polenta. Le gutturnio était de règle.

« Mais l'autopsie n'a vraiment rien donné ?

— Bof, fit Nanetti, un vieux qui tombe d'aussi haut se brise en mille morceaux comme un vase en céramique. Et puis il y a ce rebond sur l'auvent qui complique les choses, sinon… je serais quasiment certain que le coup à la tête n'est pas dû à la chute.

— Il a une contusion qui ne te semble pas compatible ?

— C'est une fracture du crâne avec un affaissement prononcé. Il est rare que cela se produise chez quelqu'un qui se jette dans le vide : normalement, les blessures sont larges et aplaties, pareilles à un écrasement. Ici, au contraire… Mais cela pourrait être dû au choc contre l'arête en ciment de l'auvent. »

Soneri se remémora le brancardier lui ayant indiqué l'endroit où le corps avait rebondi avant de tomber sur l'asphalte.

Quand ils sortirent, l'air était plus froid et le commissaire repensa encore aux prévisions météorologiques. Des rafales continues polissaient la ville et le ciel ressemblait à un plat en étain. Il ne resterait que deux bonnes heures de lumière après qu'il eut raccompagné Nanetti à la préfecture de police. Et lorsque son collègue descendit de l'Alfa Romeo en maudissant les voitures sportives trop basses, il s'arrêta quelques instants avant de prendre une décision sur la marche à suivre. Puis il partit brusquement sous les yeux du planton qui s'était approché pour contrôler.

La route finissait contre la digue, aussi élevée qu'une muraille. Deux ou trois kilomètres plus haut, deux jeunes carabiniers presque imberbes l'avaient stoppé et scruté avec beaucoup de méfiance sous la pluie. Après avoir observé longuement sa carte professionnelle, ils s'étaient écartés pour le laisser continuer sans dire un mot et le commissaire fut heureux d'être hors de portée de la mitraillette des militaires. Puis il poursuivit sa route entre les maisons basses bordées d'arcades, au milieu des flaques d'eau sur l'asphalte fendu à cause de l'humidité. Il arrêta sa voiture près de l'auberge *Italia*, à une vingtaine de mètres de la digue, qui semblait le seul relief d'un paysage plat, la vraie frontière d'un monde horizontal.

Quand il descendit de la voiture, trois vieillards l'observèrent de derrière une vitrine embuée. Soneri les déçut en déviant vers la digue et en prenant la montée qui menait vers le chemin de halage où se pressaient de nombreuses personnes et transitaient sans arrêt des tracteurs. L'eau ne se trouvait pas loin. En face, assiégé par le courant, se dressait un drapeau qui claquait encore aux rafales avec le désespoir d'un naufragé. Au-dessous, la hampe et la jetée du port fluvial avaient déjà été ensevelies par l'eau ocre. La baraque du cercle nautique semblait en équilibre instable. De petites vagues d'eau trouble conquéraient quelques centimètres de la cour qui s'achevait au pied de la digue principale, et des hommes à l'air pressé, portant de longues bottes couvrant les genoux, s'agitaient comme des fourmis en mettant à l'abri chaque chose. À un moment donné, Soneri vit sortir deux carabiniers, leur arme mise en bandoulière au-dessus de leur imperméable foncé. Une discussion animée avait lieu entre l'adjudant et un vieil homme qui lui tenait tête au milieu d'un cercle de bateliers à l'écoute.

« Fermez cette bicoque et allez-vous-en, disait le militaire.

— Nous partirons en temps et en heure, nous savons ce que nous avons à faire, rétorquait le vieil homme.

— Vous êtes sous ma responsabilité.

— Adjudant, le fleuve, nous le connaissons mieux que vous… Donc laissez-nous faire et tirez les marrons du feu à ceux qui en ont le plus besoin. »

Les deux hommes se regardèrent fixement, avec hargne. Puis le militaire se mit à examiner les autres près du vieil homme et, les voyant déterminés, il tourna furieusement les talons d'un mouvement de rage qui secoua l'eau de son imperméable lorsqu'il monta dans la camionnette. À la moitié de la rampe, Soneri lui fit signe et le brigadier qui conduisait s'arrêta.

« Je suis le commissaire Soneri, de la préfecture de police », dit-il en tendant la main.

L'adjudant, encore irrité, offrit à contrecœur sa paume mouillée.

« C'est le préfet qui devrait venir donner des ordres à ces types, marmonna-t-il, avili, sous sa visière. Montez, nous parlerons à la caserne. »

Elle n'était pas très distante de l'auberge *Italia* et, depuis les fenêtres, la masse épaisse de la digue se détachait nettement.

« Espérons qu'elle tienne », fit remarquer Soneri pour rompre le silence du militaire.

Ce dernier ne prêta pas attention aux mots du commissaire et se contenta de jeter un coup d'œil à l'extérieur pour s'assurer qu'une brèche ne s'était pas ouverte.

« Donc, vous êtes venu pour Tonna ? » demanda l'adjudant, et Soneri, après avoir lu la petite plaque en simili-argent posée sur le bureau, en déduisit qu'il s'appelait Aricò.

« Oui », répondit-il.

Puis, ayant perçu une pointe d'ironie dans la voix du carabinier, il ajouta :

« Son frère est mort hier et il pourrait s'agir d'un homicide. »

Aricò manifesta son premier signe d'intérêt depuis qu'ils s'étaient rencontrés.

« Mort comment ?

— Tombé du troisième étage de l'hôpital. Un suicide, en apparence. »

L'adjudant sembla réfléchir pendant quelques instants, avant de se mettre à fixer à nouveau les documents qu'il avait sous les yeux. Quand le téléphone sonna, il donna des ordres avec méticulosité en haussant le ton. Soneri pensa qu'il était tombé sur un type difficile, lorsqu'il l'entendit déclarer soudain :

« Cher commissaire, que puis-je vous dire ? Il a disparu. La péniche, qui est partie sans crier gare, a été retrouvée vide par mes collègues de Luzzara. Moi j'ai transmis l'ordre de signaler la présence de Tonna, mais jusqu'à maintenant personne ne s'est présenté pour en faire état. Vous le voyez également : ici, nous sommes peu nombreux. »

Il se remit à maudire les ponts et les vacances, mais on comprenait qu'il serait parti volontiers lui aussi.

« Avec ce maudit fleuve ! pesta-t-il en direction de la digue. Et la préfecture en ébullition ! ajouta-t-il en soulevant une liasse de télégrammes d'un geste semblable à celui avec lequel il aurait pris par le col un voleur.

— Tonna a-t-il de la famille ici ?

— Une nièce. Elle tient un bar sur la place.

— Elle ne sait rien ?

— Pensez donc. Elle le voyait rarement. Tout au plus une fois par semaine quand il débarquait pour lui donner ses affaires à laver. »

Le téléphone sonna à nouveau. Aricò se mit à l'écoute, cette fois avec résignation : ce devait être un supérieur. Cependant, il regardait dehors le ciel gris, plein d'ecchymoses, et Soneri eut l'impression qu'il rêvait des orangeraies de Sicile sur les collines qui regardent vers la mer. Lui, au contraire, dans l'humidité, il se sentait aussi à l'aise qu'un ver de terre. Peu après, il retourna sur la digue et descendit vers le cercle nautique. Il apprit que le vieil homme qui discutait avec l'adjudant s'appelait Barigazzi.

Il alla vers lui et le surprit penché au-dessus des piquets.

« Le fleuve grossit beaucoup ?

— Régulièrement, ce qui est pire, répondit l'homme.

— Vous ne vous entendez pas avec l'adjudant ?

— Non, s'il se mêle de choses qu'il ne connaît pas. Vous êtes d'ici ?

— Je suis un commissaire de la préfecture de police, je m'appelle Soneri. Je suis venu pour Tonna. »

Barigazzi le regarda.

« C'est une histoire vraiment moche.

— Je le pense aussi, sinon je ne serais pas ici. »

Ils entrèrent dans le cercle nautique. La radio diffusait des messages avec le rythme frénétique des temps de guerre. Elle avait été complètement démontée de ses ancrages et c'était l'unique objet resté dans le local.

« Dans six heures, l'eau arrivera, soyez prêts, annonça Barigazzi depuis la porte.

— Il ne nous reste qu'à débrancher le câble et à faire marcher la tabatière, répondit celui qui était près de l'appareil.

— Je vois que vous n'ignorez pas complètement les conseils de l'adjudant », commenta Soneri.

Barigazzi le regarda avec irritation.

« Si nous l'avions écouté, nous serions déjà loin de la digue depuis deux jours. Il y a des gens qui donnent des ordres sans avoir jamais vu le fleuve. Il se prend pour celui qui a inventé l'eau chaude.

— Pour ce qui est de la navigation, peut-être Tonna était-il considéré de la sorte, risqua Soneri.

— Peut-être. Personne ne connaît le fleuve mieux que lui.

— Quand l'avez-vous vu pour la dernière fois ?

— Si l'on exclut le soir où il a accosté ici puis disparu, il y a quatre jours, répondit Barigazzi. Il est descendu à terre pour aller chez sa nièce. Chez nous, au cercle nautique, il n'est resté qu'une petite heure pour boire deux petits verres de grappa, de celle que l'on distille ici et qui lui plaît beaucoup.

— Avait-il quelque chose d'étrange ?

— Tonna était toujours égal à lui-même. Taciturne. Il ne parlait que du Pô, de la pêche et des barques. Mais là il n'avait pas la langue dans sa poche.

— Avait-il des amis ici, au cercle nautique ? »

Barigazzi le regarda et leva les yeux au ciel, puis il haussa les épaules au point de toucher quasiment ses oreilles.

« Je crois qu'il n'en avait nulle part. Seulement des bateliers qui naviguaient comme lui. Pour communiquer, quelques gestes lui suffisaient sur le fleuve comme à terre. »

La radio diffusa des nouvelles peu rassurantes : une voie d'eau s'était ouverte le long de la digue de San Daniele, sur la rive lombarde en face de Zibello.

« Encore une, dit le jeune homme qui était à la radio. Elle les a tous pris de court.

— Ils sont beaucoup à naviguer sur le fleuve ? demanda le commissaire.

— Ah ! s'écria Barigazzi avec un geste de dépit. Il reste quatre pelés et un tondu. Plus personne n'investit dans les bateaux et les mouillages sont mal en point.

— Tonna, néanmoins, s'obstinait, malgré son âge...

— C'était sa vie, répliqua le vieil homme, un peu vexé. Vous voulez qu'un homme perde ses mauvaises habitudes à quatre-vingts ans ?

— Beaucoup, à cet âge-là, se rangent.

— Pas Tonna. Il ne s'est jamais résigné à débarquer pour cultiver son jardin. Et puis il voulait garder ses distances par rapport aux gens qui jasent.

— Des comptes à régler ? »

Barigazzi fit un geste vague de la main.

« Il aimait rester seul... conclut-il d'un ton qui sembla légèrement allusif au commissaire.

— Même lorsqu'il naviguait ?

— Parfois il prenait avec lui son petit-neveu, mais il n'a pas réussi à en faire un batelier, expliqua le vieil homme. Les jeunes aiment le confort et le fleuve n'en offre guère. »

Soneri pensa à Tonna et à sa vie solitaire, consommée dans une navette permanente entre Pavie et le delta, ses deux terminus. Un homme de l'eau qui n'aimait pas la compagnie ni les endroits au sec. Et alors qu'il réfléchissait, il s'aperçut qu'il avait cessé de pleuvoir.

Barigazzi leva la tête en signe de reconnaissance.

« Don Firmino, cette fois-ci, avait raison : san Donnino di Fidenza nous a accordé sa grâce », dit-il en ricanant.

C'est alors que le réverbère du cercle nautique s'alluma, trois mètres au-dessus du toit. L'eau, par vagues légères, continuait à remonter la cour et désormais elle était à quelques mètres de l'entrée.

« Tout le monde s'enfuit d'ici et vous, vous y venez, remarqua Barigazzi.

— C'est mon métier. »

L'homme fit un geste de la tête, laissant comprendre qu'il avait saisi.

« Quoi qu'il en soit, il n'y a pas de danger, ajouta-t-il, de temps à autre, le fleuve revient prendre ce qui lui appartient et nous le lui laissons. Il ne le garde jamais très longtemps, le Pô rend toujours tout.

— Même les morts ? » demanda Soneri.

Barigazzi le dévisagea avec attention.

« Même eux, dit-il ensuite. Si vous faites allusion à la même chose que moi, soyez certain qu'il refera surface. Mais êtes-vous bien sûr que c'est le Pô qui l'a pris ? »

Le commissaire réfléchit pendant quelques instants avant de répondre.

« Non, conclut-il à la fin avec résignation, constatant en son for intérieur que l'enquête devait encore commencer. Puis-je vous offrir un verre ? proposa-t-il au vieil homme.

— Plus tard, volontiers, répondit Barigazzi, mais maintenant nous devons déménager la radio. Nous la transporterons à la municipalité, comme ça le maire pourra l'entendre directement.

— Où peut-on boire un bon verre ?

— Ça dépend des goûts, expliqua le vieil homme. Moi je préfère le *Sordo*, sous les arcades. Mais il y a du bon vin aussi à l'auberge *Italia* où vous êtes certainement allé. »

Soneri fut surpris que l'homme sache où il avait garé sa voiture, mais il se souvint que, depuis la digue, on pouvait observer la route située devant l'auberge.

Il descendit vers le village alors qu'il commençait à faire nuit. Au milieu des maisons, il nota une agitation fébrile et peu après il en comprit la raison en apercevant la camionnette des carabiniers arrêtée, encerclée par un groupe de personnes. L'adjudant communiquait l'ordre d'évacuation, mais les habitants ne voulaient rien savoir. En passant tout près, le commissaire aperçut le visage du militaire, où la sueur due à la nervosité se confondait avec les gouttes de pluie. Seules quelques familles lui faisaient confiance et chargeaient leur voiture ; pour le reste, il semblait être aux prises avec une mutinerie. Sur la place, en revanche, tout était tranquille, comme si le fleuve était en période d'étiage. Un écriteau jaune signalait le bar *Portici* derrière un grand châtaignier qui laissait ruisseler ses dernières feuilles. À l'intérieur, peu de tables et beaucoup de jeux vidéo occupés par quelques jeunes gens.

« Vous êtes la nièce de Tonna ? » demanda Soneri à la femme derrière le comptoir.

Elle avait une quarantaine d'années, elle était défraîchie et elle l'observa avec méfiance.

« Oui, répondit-elle de mauvaise grâce et d'un ton vaguement menaçant.

— Je m'appelle Soneri, je suis commissaire de police. »

La femme se raidit encore. Elle posa le verre qu'elle essuyait et se tint sur ses gardes.

« Si c'est à propos de mon oncle, j'ai déjà expliqué ce que je savais aux carabiniers, dit-elle. Mais il ne me semble pas qu'ils se soient donné du mal pour le trouver.

— Vous pensez qu'il lui est arrivé malheur ?

— Vous avez une autre explication ?

— Pas pour l'instant, répondit le commissaire. Mais cela me semble étrange qu'il soit tombé dans l'eau. »

La femme le fixa d'un regard hostile, en silence. Elle n'était pas maquillée et donnait l'impression d'une négligence grossière.

« Vous ne m'avez pas dit votre nom…

— Claretta », répondit-elle et ce nom de poupée jurait avec son visage arrogant.

Soneri pensa à Claretta Petacci[1] par une sorte de réflexe conditionné. Peut-être parce que la femme était habillée en noir.

« J'imagine que vous avez déjà écarté l'hypothèse que votre oncle ait tout plaqué. »

Elle liquida cette possibilité d'un geste.

« Il était trop attaché à la vie qu'il menait, au fleuve

1 Claretta Petacci, née le 28 février 1912 à Rome et morte le 28 avril 1945 à Giulino di Mezzegra, en Italie, était la maîtresse de Benito Mussolini.

et à sa péniche. Je n'aurais pas été étonnée si on l'avait trouvé mort dans sa cabine. Mais comme ça…

— Quand l'avez-vous vu pour la dernière fois ?

— Il y a quatre jours. Il est venu m'apporter son linge sale, comme toutes les semaines. Chaque fois, je lui demandais quand il allait s'arrêter, mais lui ne voulait rien savoir.

— Avait-il des ennemis ?

— De vieilles histoires, d'avant la guerre, répondit Claretta en durcissant le ton de sa voix, des questions politiques. »

Pendant un moment, Soneri garda le silence. Et en repensant à Claretta Petacci, c'est instinctivement qu'il demanda :

« À cause de ses antécédents fascistes ? »

La femme acquiesça. Anteo était en quête de solitude sur le fleuve, se consumant dans une vie d'ermite de passage sur les eaux, ne faisant qu'effleurer villages et gens hostiles. Sans doute son frère avait-il le même problème et c'était la raison pour laquelle il ne parlait que de maladies en fuyant le passé, en se dérobant lorsque quelqu'un fouillait dans sa jeunesse.

« Mais ici, au village, l'a-t-on déjà menacé ?

— Après la guerre, peut-être, mais aujourd'hui non. C'est une affaire de vieilles personnes et beaucoup désormais sont mortes. Les jeunes se bornaient à l'ignorer : ici, presque tout le monde vote communiste. »

Claretta fit mine de s'en aller en se dirigeant vers la machine à café, mais le commissaire l'arrêta en levant la main.

« Je suis venu pour vous informer d'autre chose », dit-il.

Elle s'immobilisa, comme devant l'imminence d'un danger.

« Votre autre oncle, Decimo, a disparu également, communiqua Soneri, d'une voix qui était descendue de deux tons au-dessous de la normale. Il s'est jeté du troisième étage de l'hôpital de Parme », l'informa-t-il en passant sous silence l'hypothèse de l'homicide.

La femme resta quelques instants sans voix.

« Deux d'un coup », murmura-t-elle.

Puis, en croisant les bras et en remontant sa poitrine lourde et molle, elle chuchota :

« Pauvre Decimo. »

Le commissaire prit le temps de l'observer et avant qu'il ne puisse parler, elle le devança :

« Où est-il maintenant ?

— À la morgue. »

Elle sembla abasourdie. Elle regardait fixement le sol tandis que les petites musiques des jeux vidéo rendaient toute cette émotion artificielle.

Alors Soneri profita du fait qu'elle avait baissé la garde.

« Dites-moi si vous avez des soupçons, si quelqu'un avait eu maille à partir avec votre oncle et que vous l'avez su... C'est votre fils qui naviguait parfois avec lui, n'est-ce pas ? »

Claretta fit signe que oui.

« Anteo ne parlait jamais, pas même avec moi. Mon garçon n'en pouvait plus, non pas tant de naviguer, mais de ses silences. »

Soneri était sur le point d'abandonner. Il laissa retomber ses bras et soupira. Puis il se ressaisit en prenant un cigare. C'est alors que la femme leva les yeux du sol et les posa sur lui. Le commissaire s'arrêta au moment où il frottait l'allumette et resta en suspens.

« Quelque chose d'étrange s'est produit, mais je ne sais pas s'il y a un lien », reprit la femme.

Soneri ne bougea pas un muscle.

« Il y a une semaine, quelqu'un a téléphoné ici en le demandant.

— Cela ne se produisait jamais ?

— Non, jamais.

— Il vous a donné son nom ?

— Non. Un homme avec une voix de personne âgée.

— Vous a-t-il semblé du coin ? »

Claretta se mit à réfléchir d'un air dubitatif, comme si elle n'était pas en mesure de répondre avec exactitude.

« Il parlait parfaitement le dialecte, mais il ne parlait pas bien l'italien.

— Cela arrive à ceux qui n'ont pas beaucoup fréquenté l'école.

— Non, je veux dire qu'il parlait italien avec un accent étranger.

— Quel accent ?

— Je ne saurais vous dire. Espagnol, peut-être.

— Et que vous a-t-il dit ?

— Qu'il cherchait mon oncle. »

Et après une pause, Claretta précisa :

« Mais il n'a pas demandé tout de suite Anteo Tonna, il m'a dit qu'il voulait parler avec Barbisin.

— Et qui est Barbisin ?

— Un surnom que l'on donnait à mon oncle par le passé. »

Un courant d'air humide se fit sentir : on avait ouvert la porte. La femme se secoua comme si elle avait été parcourue d'un frisson et alla derrière le comptoir servir le client qui était entré. Au même moment, le portable du commissaire sonna. Il sortit en saluant d'un geste et attendit d'être en pleine rue avant d'appuyer sur la touche « réponse ». Juvara cria « Allô ! » deux ou trois fois sans rien entendre. Soneri maudit son appareil et dut se déplacer pour obtenir une bonne communication.

« Chef, je n'ai pas conclu grand-chose : Decimo Tonna vivait vraiment seul. Les voisins le voyaient aller et venir, mais avec eux il n'échangeait que des salutations. Il faisait ses courses au supermarché et ne fréquentait pas les bars. J'ai entendu aussi les assistantes sociales qui sont allées lui rendre visite quelquefois, mais il les a renvoyées.

— Le prêtre non plus ne sait rien ? » demanda le commissaire.

De plus en plus fréquemment, il ne restait que les prêtres auxquels s'adresser. Et de plus en plus souvent, eux non plus ne savaient rien.

« Fais une recherche sur les Tonna dans les archives. Ils ont été fascistes…

— Plus de cinquante ans ont passé… » dit Juvara sur un ton sceptique.

Soneri réfléchit quelques instants avant d'entendre l'inspecteur répéter à nouveau « Allô ! ».

« Peut-être as-tu raison », répondit-il avant de couper la ligne sans saluer.

Il fit un bout de chemin avec la tête qui bouillonnait et seulement après quelques mètres il comprit que toute cette histoire était une invitation à être de mauvaise humeur. Il se sentait empêtré dans une double affaire dont il ne parvenait pas à extraire l'ombre d'un indice, une ébauche d'hypothèse sur laquelle travailler. Toute supposition se réduisait en miettes, tout scénario s'enlisait comme dans la vase des bras morts. Et face à lui, il se représentait les visages silencieux des frères Tonna, qu'il n'avait pourtant jamais vus. À l'exception de Decimo, les yeux louchant et le sang à la bouche dans l'obscène grimace de la mort sous le drap réservé aux cadavres.

Dans les rues étroites, son portable retentit.

« Tu ne t'es pas noyé, alors ? lança Angela.

— Pas encore, mais ne perds pas espoir, le fleuve continue de monter.

— Pourquoi ne t'y jettes-tu pas, vu que tu te plais tant là-bas ?

— Me noyer dans le noir me fait peur. Et puis je viens de manger.

— Évidemment, ça, c'est la seule chose que tu n'oublies pas.

— Nom de Dieu, Angela, je viens d'arriver ! Et je ne comprends rien de rien dans cette histoire.

— Très bien, commissaire, enquête. Et quand tu reviendras, rapporte-moi un petit souvenir !

— Bien sûr, pour vous, avocats, c'est plus facile : vous jouez avec les mots, vous décomposez et recomposez les faits après que quelqu'un d'autre les a vérifiés pour vous, se défendit-il.

— Ne joue pas la victime, répliqua Angela, j'aimerais que tu essaies de plonger tous les jours dans cette mare aux crocodiles qu'est le tribunal. J'ai des confrères qui, pour quelques sous, trahiraient leur mère.

— Qu'y a-t-il de pire que les assassins ?

— Tu n'as aucune idée de ce qui a pu arriver à la péniche ? demanda-t-elle, radoucie.

— Non, mais j'ai convaincu Alemanni de réunir les enquêtes sur les deux frères.

— Tu peux en être fier. Moi, je n'ai jamais rien pu obtenir de ce type. Il repousse toutes mes demandes, même les plus justifiées.

— Ce n'est qu'un triste bonhomme qui ne se résout pas à laisser sa place aux autres, déclara le commissaire.

— J'espère te voir avant que toi aussi tu n'ailles à la dérive. Peut-être que dans quelques jours une occasion se présentera. Si tu as bonne mémoire, tu comprendras… »

Il entendit couper la ligne avec un léger sifflement et on aurait dit quelque chose qui se dissolvait. Mais à ce moment-là, alors qu'il passait sous les arcades, il tomba sur l'auberge du *Sordo*. À l'intérieur, il y avait en tout huit tables en hêtre placées au-dessous d'ampoules qui pendaient des lustres. La lumière était faible, mais suffisante pour la belote. Au comptoir, debout, il reconnut Barigazzi et trois autres personnes qu'il avait vues au cercle nautique.

« Vous avez plié bagage en avance ?

— Nando, l'homme à la radio, est resté. Il est en train de la démonter et bientôt il s'en ira lui aussi.

— L'eau est montée plus rapidement que prévu ?

— Non, dans les locaux elle arrivera vers trois heures.

L'eau, nous la connaissons déjà et donc il est inutile de rester à l'attendre, répondit Barigazzi.

— Puis-je vous offrir à boire ?

— C'est jamais de refus. C'est une question qui peut vous coûter cher, par ici », répondirent-ils en chœur en se dirigeant vers une table libre.

Le Sourd les observa jusqu'à ce qu'ils se fussent assis et il ne les rejoignit qu'ensuite. Barigazzi montra quatre doigts et le Sourd fit un signe de la tête. Soneri allait lui demander autre chose, mais il s'interrompit parce qu'il sentit une main se poser sur son avant-bras.

« Laissez tomber, ce soir il a débranché son appareil et il n'entendrait rien. »

C'est seulement alors que le commissaire nota que des deux oreilles de l'aubergiste dépassaient de petits amplificateurs semblables à des boules en coton.

Barigazzi présenta Vernizzi, Ghezzi et Torelli.

« En pratique, conclut-il, vous avez fait connaissance avec l'ensemble du conseil du cercle nautique d'un seul coup. »

Puis il indiqua le Sourd.

« Il le fait lorsqu'il est de mauvaise humeur, il débranche tout et n'entend que son silence.

— Une grande chance », commenta Soneri en pensant à certains coups de fil d'Angela.

Il promena son regard dans la pièce et il vit les murs recouverts de photographies de grands interprètes d'opéra. Rien que des personnages de Verdi. Il fixa ses yeux sur un Rigoletto tandis que, en guise de fond sonore, s'élevaient les notes d'une romance.

« Aureliano Pertile », se pressa de dire Ghezzi.

Le Sourd souhaitait rester silencieux, mais à ses clients il offrait de la musique. Il réapparut avec cinq bols en faïence remplis de vin mousseux et une bouteille noire en verre épais. Soneri reconnut le fortanina, un vin peu alcoolisé et riche en tanin, aussi pétillant qu'une limonade.

« Je croyais qu'il avait disparu de la circulation, dit-il.

— Il est interdit par la loi parce qu'il ne contient pas beaucoup d'alcool, mais le Sourd le prépare dans sa cave, l'informa Vernizzi. Vous n'avez pas l'intention de nous dénoncer ?

— Non, si vous m'apportez aussi un peu de jambon blanc, répondit le commissaire. Je m'occupe d'un tout autre genre de délits.

— Certes », bredouilla Barigazzi en devinant la pensée de Soneri.

Ce dernier les observa l'un après l'autre comme pour les défier.

« Vous vous êtes fait une idée de ce qui a pu se passer ? »

Vernizzi et Torelli se redressèrent contre leur dossier, relevant leur menton pour dire qu'ils ne savaient pas. Ghezzi resta muet et le commissaire eut la sensation qu'il ne souhaitait pas parler pour laisser à Barigazzi le soin de le faire.

Un rituel qui lui rappelait les réunions à la préfecture, où l'ordre des interventions respectait la hiérarchie.

« Il est inutile que vous nous le demandiez, vous savez aussi bien que nous comment les choses ont pu finir, dit brusquement le vieil homme.

— Je ne m'en suis fait aucune idée précise. Je ne suis pas un homme du fleuve, moi.

— Tonna n'aurait jamais abandonné sa péniche. C'était le seul endroit où il pouvait vivre en paix.

— Alors, ou bien il a fait un malaise et est tombé à l'eau, ou bien quelqu'un l'a mis hors jeu puis a largué les amarres. Un irresponsable, même si en définitive il y a eu plus de peur que de mal. »

Pour toute réponse, les quatre hommes commencèrent à manger.

Le jambon blanc était extraordinaire, rosé avec juste ce qu'il fallait de striures de gras. Soneri l'enveloppa dans le pain, cependant que la musique augmentait en volume et que quelques clients des tables derrière eux l'accompagnaient en s'improvisant Rigoletto ou duc de Mantoue.

Le commissaire savait attendre. Il fallait laisser décanter les pensées jusqu'au moment où elles prenaient forme, en s'organisant en phrases. Le vin aussi avait son rôle à jouer. Et lorsqu'il cessa de mâcher, Barigazzi prit la parole.

« Vous voyez, commissaire, il y a une chose que je ne m'explique pas dans le dernier voyage de la péniche. Vous pensez qu'il est possible pour une embarcation de quarante mètres de passer sous quatre ponts successifs sans heurter les piles alors que personne n'est au gouvernail et qu'en plus le moteur est éteint ? »

Soneri, par une grimace, fit comprendre qu'il n'en savait rien.

« Quatre, hein ! répéta l'homme en levant la main et en montrant autant de doigts crochus aux ongles épais et dentelés comme ceux d'un manœuvre poussant une brouette. Trois ponts routiers et un pont de voie ferrée : Viadana, Boretto, Guastalla… énuméra-t-il.

— Donc, conclut le commissaire, quelqu'un se trouvait dans la péniche. Mais si c'était Tonna, que lui est-il arrivé ?

— C'est vous qui enquêtez, dit Ghezzi.

— On vient de vous dire que Tonna n'aurait jamais abandonné sa péniche, ou alors c'est qu'il est tombé dans l'eau à cause d'un coup et que le courant a laissé dériver la péniche et ce hasard a fait qu'elle a pu passer un pont toute seule.

— Il y a une manière de comprendre si les choses se sont passées comme ça… »

Barigazzi s'était mis en biais sur sa chaise en posant son bras sur le dossier, en phase avec la musique qui semblait donner une solennité théâtrale à ce geste.

Soneri, respectant les pauses, souleva le bol en faïence et but une longue gorgée de fortanina. Il s'apparentait au vin nouveau, quelque chose à mi-chemin entre le moût fraîchement exprimé et le lambrusco noir et brut des terres du Pô.

« Il faudrait savoir si la nacelle de secours est encore à bord.

— La chaloupe ?

— Quelque chose dans ce genre, répondit Barigazzi. Elle sert à rejoindre la berge si le mouillage est hors d'atteinte. Ce peut être à cause d'un banc de sable ou d'une rive trop basse. »

Le canot. Soneri regarda sa montre avec l'intention d'appeler les carabiniers de Luzzara. Mais il pensa ensuite qu'il vaudrait mieux qu'il y aille en personne, voire qu'il monte à bord. La musique avait changé, une *Aïda* résonnait dans l'enceinte de l'auberge, achoppant aux poutrelles du plafond et se répercutant jusque dans les oreilles. Le mur face au commissaire avait des briques apparentes, celles de la basse plaine du Pô, rouges et plates, alors que les autres faces étaient partiellement crépies. Dans un angle en bas, vers le comptoir, était reproduit un mètre gradué où étaient cochées les dates des inondations. La crue la plus haute remontait à 1951.

« C'est une insulte autant d'eau dans un lieu comme celui-ci, dévolu aux buveurs, fit remarquer Soneri à l'intention de Barigazzi.

— On le lui permet rarement et, quand elle nous a eus, elle en profite.

— On a trinqué davantage par les oreilles, en nageant dans le Pô, que par la bouche en buvant, dit Vernizzi. Pensez au Sourd qui n'entend plus rien.

— Quelqu'un que je connais a trinqué aussi par le trou de balle », ricana Ghezzi.

Le commissaire sourit tandis que son regard continuait à passer en revue les murs sur lesquels une série de Falstaff et d'Otello se détachaient sur le fond d'une argile pâteuse rayée de chaux blanche, les couleurs d'un bon saucisson de Felino. Puis ses yeux tombèrent sur une fresque grandeur nature. C'était un Christ grossier, réalisé par un artiste farfelu. Son visage, plus que la douleur, semblait exprimer la colère d'un homme en train de jurer et ses bras de rameur paraissaient sur le point de se déclouer de la croix. Quand le commissaire examina la partie inférieure, il vit que le peintre avait représenté les jambes repliées, croisées juste sous le bassin.

« Vous le constatez comme nous, ironisa Barigazzi, Jésus-Christ n'est pas mort parce qu'il a pris froid aux pieds. »

Une explosion de rires ébranla la table dont les vibrations firent trembler le fortanina dans les bols.

« Ça n'a pas toujours été comme ça, reprit-il ensuite sur un ton plus sérieux. C'est arrivé en 1951, avec la crue. »

Le commissaire promena son regard pour embrasser toutes les tablées : à vue de nez, il n'y en avait pas un qui allait à l'église.

« Vous y allez fort avec les plaisanteries, dit-il en guise de commentaire.

— Mais ce n'est pas une plaisanterie, protesta Torelli. Le prêtre aussi est d'accord et, aux vieilles, il a fait croire que c'était un miracle.

— Le plus beau, c'est qu'il a sans doute raison. »

Soneri pencha la tête pour leur demander d'arrêter : il était partie prenante malgré lui. Il était venu pour interroger et il se trouvait à présent dans une situation étrange. Le vin le rendait euphorique et tous ces bavardages l'emmaillotaient comme une bande de gaze l'immobilisant couche après couche.

« Moi je ne crois pas aux miracles, expliqua Barigazzi en redevenant sérieux, mais personne ne sait qui a refait les jambes du Christ. Pas même le Sourd, qui l'a trouvé comme ça lorsqu'il est revenu à l'auberge, une fois la crue passée. On dit que c'est un artiste de rue, qui a peint en ayant les jambes dans l'eau. »

Soneri posa à nouveau son regard sur le Christ : il apparaissait dans l'attitude d'un santon indien, mais il n'avait rien de blasphématoire ni de dérisoire.

« C'est étrange une telle image ici, où personne ne va à l'église, dit-il spontanément.

— À l'église, nous n'y allons pas et les prêtres, on ne peut pas les voir, mais lui, continua Barigazzi en indiquant la peinture avec beaucoup de respect, c'était un homme qui souffrait comme nous.

— Il nous a appris à ne pas tuer », affirma Soneri.

Les quatre hommes s'interrompirent un instant et le regardèrent tout à coup d'un air méfiant.

« Vous ne pensez quand même pas que nous…

— Non. Je ne le pense pas. Mais le frère de Tonna a été tué.

— Decimo ?

— Oui. »

La conversation s'arrêta et même la musique fit une pause. Le brouhaha de l'auberge s'empara des lieux. Personne parmi les quatre ne l'interrogea. Tous redevinrent sérieux et seul Vernizzi murmura : « En voilà un fait étrange », semblant parler aussi au nom des autres.

Ce n'est qu'au bout d'un certain temps, que Soneri passa à écouter le Verdi un peu austère de *I lombardi alla prima crociata*, que Barigazzi se décida à dire :

« Selon vous, Anteo aussi… »

Le commissaire, d'abord, écarta les bras et approcha ensuite son visage du visage carré, aux pommettes saillantes, de Barigazzi. Sans sa casquette, il arborait une chevelure blanche, dans l'ensemble, mais encore épaisse.

« Je ne suis pas sûr, mais à force d'écarter d'autres hypothèses, cette évidence s'impose presque à moi. »

L'autre s'éloigna et donna l'impression de réfléchir. À en croire son expression, le commissaire déduisit qu'il avait été très convaincant.

« Jusqu'à présent, j'avais pensé que le courant pouvait emporter une péniche en la faisant passer sous les arches des ponts, mais vous m'avez ôté cette certitude et, avec elle, une grande partie des possibilités qu'il se soit agi d'un accident. Vous avez simplifié les hypothèses, mais brouillé les pistes. »

Vernizzi et Torelli acquiescèrent d'un geste qui ressemblait à celui d'un prêtre en confession.

« Donc, poursuivit Soneri, il devait y avoir quelqu'un dans la péniche. Quelqu'un d'assez habile, qui connaissait le fleuve au point de pouvoir y naviguer de nuit, dans l'obscurité, avec la seule aide du gouvernail. Quelqu'un qui est parti du cercle nautique en larguant les amarres, pour laisser croire que le courant et le Pô en crue avaient enlevé la péniche ou que Tonna lui-même avait décidé de naviguer sans moteur ni lumières. Après tout c'était étrange, pas vrai ? Mais pour faire croire que cette dernière hypothèse était plausible, il fallait donner l'illusion qu'il y avait un batelier à bord.

— La lumière, intervint Barigazzi. Dans la péniche, la lumière s'est allumée plusieurs fois, même pendant le voyage. »

Soneri sourit à cette confirmation, alors que la fougue de la musique allait croissante à un moment crucial de l'opéra qui lui échappait. C'était la première supposition qui tenait la route, mais aussitôt arriva la conscience que ce n'était rien. Une simple déduction tirée de faits qu'il n'avait pas encore fouillés.

Barigazzi le regarda.

« Commissaire, vous le voyez, le Pô ? Ses eaux sont toujours lisses et calmes, mais en profondeur il est inquiet. Personne n'imagine la vie qu'il y a là-dessous, les luttes entre les poissons dans les flots sombres comme un duel dans le noir. Et tout change continuellement, selon les caprices du courant. Personne parmi nous n'imagine le fond avant de s'y être frotté et la drague fait un travail toujours provisoire. Comme tout ici-bas, vous ne trouvez pas ? »

4

Angela le tint éveillé durant le voyage de retour en ville. Vingt minutes passées à fendre le brouillard, qui avait succédé à la pluie, en compagnie de sa voix qui fendait le cerveau à coups de décharges électriques chaque fois que le fortanina essayait de faire son travail digestif et hypnotique. Il ne l'avait pas appelée à l'heure du dîner et cela avait été pris pour un signe d'indifférence. Elle ne s'était pas encore habituée à ses oublis. Et si cela avait été le cas, il y aurait vu un indice préoccupant. Lorsqu'il raccrocha, il tenta d'appeler Juvara, mais la batterie du téléphone lui fit faux bond avec un double bip narquois. Il jeta l'appareil sur le siège, mais il n'eut pas le temps de s'emporter car il s'engageait déjà dans sa rue.

Il alluma son cigare dès qu'il s'affala dans le fauteuil du salon d'où il avait à portée de vue l'ensemble de son appartement. C'était le moment qu'il préférait : chaussons aux pieds, pyjama, robe de chambre et puis sa maison, toujours la même. Celle où il avait grandi depuis son enfance, celle que lui avaient laissée ses parents avec tout son mobilier, inchangé depuis toutes ces années. Une fois sa journée finie, il avait l'impression de se réfugier dans un lieu dont lui seul connaissait la carte. Et là pouvoir penser plus librement après avoir tout laissé dehors, dans la rue qu'il entrevoyait grise et floue comme à travers une vitre sur laquelle glisseraient des gouttes d'eau.

Angela lui avait demandé s'il resterait en ville ou s'il retournerait sur les bords du Pô. Il l'ignorait. Il déciderait au dernier moment, mais il pressentait déjà qu'il pouvait démêler le fil de l'écheveau par l'un ou l'autre bout pour arriver à un résultat identique. Toutefois, la situation semblait plus favorable sur les rives du fleuve. Et puis il fallait inspecter la péniche enlisée à Luzzara, que les carabiniers avaient mise sous scellés.

Il s'empara du téléphone et le plaça sur ses genoux au moment où celui-ci commença à sonner comme une bête qu'on dérange. Il reconnut la voix de Juvara.

« Que se passe-t-il? Tu n'arrives pas à dormir? demanda-t-il en jetant un coup d'œil à sa montre.

— Je ne pensais pas vous trouver chez vous, votre portable est éteint.

— Sa batterie s'est déchargée.

— Demain vous serez à la préfecture de police ou sur le Pô?

— Je dois inspecter le bateau de Tonna.

— Vous avez besoin d'aide?

— Non, toi continue l'enquête sur Decimo, moi sur Anteo. J'ai le sentiment qu'en travaillant sur les deux fronts on réussira à en comprendre un peu plus.

— Demain Nanetti devrait avoir les résultats des analyses du sang trouvé sur les éclats de verre du service hospitalier.

— Bien, tiens-moi au courant et vois si tu peux trouver quelque chose sur les frères Tonna.

— D'accord, mais rechargez la batterie de votre téléphone. »

Il se réveilla à nouveau très tôt, se surprenant à être assis sur le lit avant d'avoir ouvert les yeux. Au moment où il arriva à la machine à café, il pensa qu'il aurait mieux fait de contrôler sa tension : lorsqu'il prenait en main une affaire, elle montait toujours. Et puis, cette fois, Alemanni avec ses doutes était mêlé à l'affaire. Si Soneri échouait, tout le monde à la préfecture le considèrerait responsable du fiasco et le vieux magistrat pourrait conclure sa carrière en beauté par l'humiliation d'un commissaire de la brigade mobile.

Le brouillard pesait, immobile, sur les toits alors qu'il déambulait dans les rues désertes du petit matin. Et lorsqu'il eut quitté la ville, il observa les bourbiers de la campagne plate dont il semblait impossible de se détacher pour courir vers le ciel parce que le ciel, avec ses brumes, s'était abaissé jusqu'à embrasser la terre. Il dut exhiber à nouveau sa carte professionnelle pour franchir le barrage de police et se diriger vers la digue. Sur les routes, il croisait des camions, des fourgons et des tracteurs chargés de meubles qui progressaient en sens inverse : une fuite loin du front de l'eau qui menaçait plusieurs mètres au-dessus de la plaine sans défense.

Depuis le chemin de halage, le fleuve semblait infini, pareil à une mer couleur de boue qui aurait été entravée par des digues réduisant son espace. L'eau se situait plus ou moins à deux mètres en dessous du bord de la digue principale, sur laquelle avaient été alignés des sacs de sable afin d'augmenter d'environ un mètre sa portée. La péniche apparut devant le commissaire entre les branches nues secouées par le courant. Un monstre de rouille, énorme et trapu, sur lequel seule l'inscription « TONNA », en lettres majuscules, sur la proue, semblait neuve. À première vue, elle avait l'aspect d'un poisson-chat avec un pont aussi plat que la plaine et une unique saillie du côté de la poupe représentée par la cabine de pilotage. Pour le reste, on remarquait le contour surélevé de la coque qui bordait le pont et quelques petites écoutilles servant à aérer la soute.

Soneri se gara au milieu des flaques d'eau sous la digue et il la trouva face à lui auréolée de brouillard. De temps en temps, le courant la secouait, mais le mouvement, plus qu'à un signe de vie, ressemblait au soubresaut d'un pachyderme moribond.

Il fit quelques pas avant d'apercevoir la voiture utilitaire des carabiniers dont descendit un soldat en service, tout jeune et transi de froid. Il montra sa carte professionnelle et celui-ci lui indiqua la passerelle. Après quoi, il l'aida à la poser sur le pont. Le commissaire nota les gros câbles marins qui retenaient le bateau, tandis que le jeune homme, se montrant serviable, ôtait les scellés de la porte de la cabine et l'ouvrait après avoir longtemps bataillé contre la poignée à ressort. Soneri lui recommanda de garder ses gants et de ne rien toucher avant que la police scientifique puisse examiner l'intérieur de la péniche. Le militaire s'arrêta alors sur le seuil, droit comme un portier d'hôtel.

La cabine était plutôt étroite. À peine plus grand qu'un volant de voiture, le gouvernail l'occupait presque entièrement. À travers la vitre située à l'avant, on apercevait tout le pont et la pointe de la proue. Sur le côté, les appareils avec les indicateurs de niveau de mazout, de la pression de l'huile, de la température du moteur et de nombreux interrupteurs pour les lumières. Près de la colonne de direction du gouvernail, un bec de gaz commandait le démarrage avec le préchauffage des chambres à explosion, comme dans les vieux diesels. Derrière, l'emplacement du siège et de la trappe qui conduisait sous le pont.

Il descendit une rampe courte et raide comme une échelle. À l'aide des jointures de ses doigts, il appuya sur les interrupteurs dans le petit couloir qui menait aux deux cabines, mais rien ne s'alluma. Il fut alors contraint d'extraire une petite torche pour éclairer ce milieu asphyxiant et poussiéreux qui lui évoquait un vieux caveau de famille abandonné.

La première cabine qu'il rencontra était presque nue. En plus d'une couchette défaite, il y avait quelques bandes dessinées sur une étagère, un coupe-vent froissé et de vieux journaux. Pas une fenêtre ni un hublot pour regarder le fleuve et recevoir la lumière.

Tout était oppressant : l'obscurité, le plafond qui permettait tout juste de rester debout, l'exiguïté et l'impression de laisser-aller qui se dégageait de la péniche, à commencer par la rouille, qui avait prospéré partout jusqu'à devenir la couleur dominante.

L'autre cabine devait être celle où dormait Tonna. Elle aussi était vide, mais elle semblait avoir été délaissée depuis peu. En outre, il y avait un petit meuble en bois si raffiné qu'il ressemblait à un bijou au milieu d'objets de brocante. Il abritait quatre petits tiroirs aux poignées aussi minuscules que des boutons. Soneri prit un mouchoir et ouvrit le premier. Il y trouva seulement des factures pour la fourniture du gasoil. Dans le deuxième se trouvait un journal de bord où Tonna avait noté tous les voyages et les chargements effectués le long des berges du fleuve. Le troisième contenait de très vieilles cartes postales et des photos de la péniche, ainsi que le carnet d'entretien du bateau. Enfin, Soneri se pencha pour ouvrir le dernier tiroir. Il y avait des bobines, des aiguilles, des épingles et du fil de différentes couleurs. Parmi eux, un billet dans une enveloppe sans adresse dont le rabat n'avait pas encore été collé. Il lut quelques mots mystérieux, comme était mystérieuse la vie suggérée par la péniche qui l'avait contenue et laissée à flot durant des années : « Je ne suis pas responsable pour Nibbio, la décision a été prise plus haut. »

Il resta un long moment à examiner cette écriture un peu malhabile agrippée au papier comme des pattes de mouches. Puis il remit le mot dans l'enveloppe, un bout de carton rigide qu'on aurait dit découpé dans une boîte à chaussures, et il reposa le tout dans le tiroir.

Il sentait qu'attribuer un visage à Nibbio et faire entrer ces mots sibyllins dans un horizon de sens donnerait une impulsion à l'enquête, mais autour de lui tout n'était que ténèbres. Il gravit deux marches de l'échelle, passa sa tête à travers la trappe et se retrouva au niveau du pont; dans l'épais brouillard, il distingua le carabinier debout devant la passerelle en train de surveiller un bateau que personne ne réclamait.

Il retourna sous le pont et pénétra à nouveau dans la cabine de Tonna. Il ouvrit le tiroir où était conservé le journal de bord faisant état des chargements et déchargements de la marchandise et l'examina à nouveau. Apparemment, pour son travail, Tonna faisait de nombreux allers-retours entre Crémone et le delta. Il emporta le journal et monta sur le pont, se dirigea vers les ouvertures qui permettaient de contrôler le chargement. Parvenu devant une porte ronde, s'aidant de la force de son dos et solidement planté sur ses deux pieds écartés, il réussit à vaincre la résistance de la poignée en T. Puis il fit sauter d'un mouvement brusque la trappe et il put ainsi découvrir la soute plongée dans le noir.

De sa torche il explora cet antre. Du blé dont il avait entendu parler au cercle nautique, pas une trace. Une vaste profondeur rouillée s'ouvrait dans le ventre creux de la péniche. Une grotte entre ciel et eau où rien ne flottait. Il referma la trappe et feuilleta le journal de bord. Trois jours auparavant était mentionné un chargement de blé embarqué à Casalmaggiore et au port de Crémone, destiné aux moulins de Polesella. Soneri regarda alors au loin, vers l'immense courant qui s'écoulait, insidieux et puissant. Il charriait et faisait tourner une barque sans rames que la crue avait arrachée à un ponton. C'est à ce moment précis que le canot de sauvetage lui revint à l'esprit.

Il inspecta tout le périmètre de la péniche et vérifia les murailles basses : le canot avait disparu. Puis, en revenant vers la cabine, il remarqua deux anneaux soudés au pont et des cordes corrodées par les années. À cet endroit, la rouille était entamée au point de mettre à nu le métal brillant. Le canot avait été enlevé récemment, là où sa quille, au gré des lentes fluctuations de la navigation, avait laissé cette trace luisante pareille à la bave d'une limace.

Quelqu'un s'était mis au gouvernail de la péniche puis, lorsqu'il n'était plus parvenu à la contrôler ou avait décidé de quitter la scène, avait disparu avec le canot. Peut-être Tonna lui-même ? Et pourquoi ? Ou encore quelqu'un d'autre qui avait estimé que la rive de Luzzara était l'endroit le plus adapté pour filer ? Barigazzi avait raison : une péniche ne pouvait pas passer sous quatre ponts toute seule.

Il emprunta à nouveau la passerelle : au-dessous de lui, la force que l'eau déployait pour secouer le bateau était effrayante. Dans cette position, Soneri observa la plaine, où l'herbe poussait plus bas que les voies parcourues par les poissons. Le carabinier remit les scellés à l'entrée de la cabine.

« Je suis désolé de vous obliger à surveiller en permanence », dit le commissaire.

Le jeune homme le regarda d'un air tranquille.

« De toute façon, on aurait dû le faire quand même.

— Pourquoi ça ?

— Le préfet demande à ce qu'on jette un œil sur les berges pour contrôler qu'il n'arrive rien. Et puis ce ne serait pas la première tentative de sabotage.

— Sabotage de quoi ?

— Des digues, répondit le carabinier. Il y en a qui, lorsque l'eau monte, ne veulent pas que ce soit le fleuve qui décide où déborder. Ils ouvrent une voie d'eau : de l'autre côté par rapport à eux, naturellement. Ils inondent les gens d'en face pour se protéger. Une belle saignée pour soulager l'artère du fleuve au détriment des autres. »

Le commissaire regarda attentivement la hauteur de la digue d'environ un mètre formée par les sacs de sable et se dit qu'ouvrir une brèche si l'eau atteignait ce niveau serait un jeu d'enfant. Le courant se chargerait du reste. Il salua le carabinier qui remonta dans sa voiture et pensa à la brèche que lui aussi aurait aimé trouver dans son enquête. Le mot avait été écrit depuis peu. Le papier, y compris celui de l'enveloppe, était blanc, comme neuf. Tout le reste de la péniche, en revanche, était recouvert d'une patine de laisser-aller et de vétusté. Le journal qu'il avait gardé avec lui avait les pages jaunies parsemées de taches aux contours sombres et leurs bords étaient écornés. Cela signifiait que « Nibbio » était réapparu récemment pour perturber le batelier Tonna. Mais à qui appartenait ce surnom ?

Nanetti l'appela alors qu'il rentrait de Luzzara.

« Le sang sur les éclats de verre n'appartient pas à Decimo Tonna, dit-il sans le saluer préalablement.

— Tu en as fait part au magistrat ? demanda Soneri, qui ne supportait toujours pas la perplexité d'Alemanni.

— Bien sûr, mais il n'y a pas attaché l'importance que tu espérais. Il dit que cela ne signifie pas grand-chose, même si ça permet d'avancer un peu.

— Comment ça, un peu ! hurla le commissaire, en donnant aussitôt après un brusque coup de volant parce qu'il avait été distrait. La vitre a été cassée juste avant que Decimo passe par la fenêtre et le sang retrouvé n'est pas le sien. Cela veut dire que quelqu'un d'autre était là.

— Je le lui ai fait remarquer, répliqua calmement Nanetti. Il dit que dans ces cas-là on finit toujours par trouver quelqu'un qui s'est blessé en accourant, ou bien quelqu'un de curieux qui s'est coupé par inadvertance... Je dois admettre qu'il n'a pas complètement tort : c'est arrivé souvent. »

Soneri allait s'en prendre à son portable. Chaque fois que la colère l'envahissait, l'envie le prenait de le lancer contre quelque chose. Il essaya de se calmer en laissant passer quelques secondes jusqu'au moment où Nanetti se manifesta par un « Allô ! » assourdissant.

« D'accord, je dirai à Juvara de faire des recherches sur le personnel du service et sur tous ceux qui sont entrés dans ce cagibi, grogna-t-il.

— Bravo, aux incrédules on répond par des faits. Tu n'as pas idée de comment il se contorsionne sur sa chaise quand on lui démontre qu'il a tort. »

Soneri conduisit jusqu'au village en suivant les sinuosités de la digue. En passant près de volontaires qui travaillaient, il saisissait des regards malveillants : dans son Alfa sportive, il devait avoir l'air d'un type qui se promène alors que les autres s'échinent sous la menace d'une inondation. Il trouva Barigazzi occupé à observer la guérite du cercle nautique, dont un quart avait déjà été englouti. L'eau arrivait jusqu'à la vitre de la porte d'entrée.

« Vous la surveillez en la regardant désormais, constata Soneri.

— Je n'ai plus besoin des piquets, il me suffit d'observer le siège de notre cercle. Les mesures, je les connais. »

Ils regardaient tous deux dans la même direction : les caresses de l'eau sur les berges et sur les murs de la guérite. Qu'une telle délicatesse puisse cacher une capacité de tuer aussi grande semblait incroyable.

« Elle monte encore vite ?

— Heureusement non. Quelques centimètres par heure, mais bientôt elle s'arrêtera et alors les eaux commenceront à baisser. On voit bien qu'en amont il a cessé de pleuvoir ou qu'il a gelé.

— Comment ça va finir ?

— Il n'arrivera rien si le brouillard persiste. Toute cette précipitation... grommela Barigazzi, en indiquant des tracteurs et des camions qui emportaient des personnes et des meubles. Si seulement ils écoutaient ceux qui en savent plus qu'eux... Au lieu de ça, ils ont le feu aux fesses.

— J'ai quelque chose à vous demander », dit Soneri.

Barigazzi se retourna et lui lança un coup d'œil furtif, comme pour s'assurer qu'il était encore à ses côtés.

« Alors allons chez le Sourd », répondit-il en montrant le chemin du menton.

L'aubergiste avait encore débranché son appareil acoustique.

Cette fois-ci, Barigazzi souleva deux doigts jusqu'au moment où il reçut un signe d'approbation muette.

Le commissaire observa le Sourd aller dans la cuisine et il ne remarqua pas la venue de Torelli, Vernizzi et Ghezzi. Il se sentit encerclé, l'une de ces positions défavorables que l'on enseigne pendant la formation.

Puis tous s'assirent autour de la table, en silence, comme ils étaient arrivés. On aurait dit qu'ils se surveillaient mutuellement, comme s'ils s'étaient donné le mot tacitement. Dans cette posture, Soneri percevait le malaise d'un accusé. La gêne fut interrompue par le Sourd, auquel Barigazzi adressa un geste, en soulevant trois doigts après une sorte de mouvement ascendant de la main qui voulait dire « la même chose ». Un instant plus tard, en regardant le Christ aux jambes repliées, le vieil homme déclara :

« Nous allons avoir encore trois jours de crue. »

Personne ne fit de commentaires avant que n'arrive le Sourd et que les notes lentes de la *Messa da requiem* submergent l'auberge, en provenance de cavités mystérieuses. Ils levèrent alors les verres de fortanina mousseux en mimant un toast muet. La tension atteignit un degré insupportable après la première gorgée, dans le plaisir sourd du vin. C'est alors que Soneri décida de briser cette croûte de silence :

« Qui était Nibbio ? »

On aurait dit que les quatre hommes avaient bu la lie. Leur visage terreux et impassible exprimait une indifférence hostile, marmoréenne. Il les regarda un par un, en s'arrêtant ensuite, en fin de course, comme la boule de la roulette, dans les yeux de Barigazzi.

« Pourquoi nous posez-vous cette question ?

— Parce qu'elle concerne Tonna.

— Des Nibbio, il n'y en a pas dans le coin, pas plus qu'à Milan. Tout au plus des rapaces du même nom, dit Barigazzi, pour essayer de noyer le poisson.

— Il y en avait au moins un, c'est Tonna qui le dit, insista le commissaire.

— Ici, sur le Pô, il y a beaucoup de choses : on en voit certaines, on en raconte d'autres. Les premières vont de soi, pour les secondes c'est une question de croyance.

— Et vous, vous ne croyez pas à ce qu'a dit Tonna ?

— Je ne sais pas, on en raconte tellement... Il y en a qui disent avoir vu des esturgeons sauter au-dessus du pont de Viadana, il y a ceux dont les poules ont été mangées par le silure... À Ferrare, encore, on raconte que le magicien Chiozzini s'est envolé avec son carrosse à Pontelagoscuro...

— Nous avons même un village qui apparaît et disparaît... ajouta Torelli.

— Non, les interrompit Soneri. Nibbio est un surnom. Le surnom de quelqu'un d'ici.

— Vous en êtes sûr ? fit Ghezzi d'une voix dans laquelle le commissaire perçut un tremblotement inquiet.

— Oui », répondit-il en bluffant avec le plus d'aplomb possible.

Les quatre échangèrent de rapides coups d'œil. Ils étaient comme les doigts de la main et ils s'étaient certainement compris en une fraction de seconde. Un jeu de hasard en compagnie de Verdi et du fortanina.

« Un résistant », ajouta Soneri en surenchérissant.

Il avait pensé à Tonna et à sa chemise noire.

« Beaucoup sont passés par ici... » répliqua alors Barigazzi, avec assurance.

Le commissaire comprit immédiatement qu'il avait raté son coup. Il aurait dû attiser cette tension qu'il voyait grandir entre les quatre hommes et, au contraire, il l'avait libérée d'un seul coup, laissant la possibilité d'une échappatoire facile. Mais au beau milieu de ce jeu de hasard, Alemanni lui était revenu à l'esprit, ses doutes et ses conseils de s'en tenir aux faits nus, sans hypothèses. Alors tout s'était écroulé.

« Notre terre a été une zone de frontière, il y en avait qui s'enfuyaient et d'autres qui passaient le fleuve pour rejoindre leurs pairs. Des gens égarés et souvent peu dignes de confiance. Des fascistes de la République de Salò déguisés en résistants. Des résistants déguisés en Chemises noires, des personnes jouant un double jeu, des espions… Nous en avons vu de toutes les couleurs.

— Il y avait également de vrais résistants, fit remarquer Soneri en récupérant un peu ses moyens.

— Oui, les membres des Groupes d'action patriotique. Pour les autres, cette plaine était trop risquée. Un commando d'Allemands pouvait la fouiller en une demi-journée.

— Et personne ne portait ce nom ?

— Écoutez, dit Barigazzi, d'un ton moins agressif, moi j'ai soixante-quinze ans et à l'époque j'étais tout juste un jeune homme. Eux (et il indiqua les autres) étaient des enfants. Comment pouvons-nous nous souvenir ?

— On ne se souvient pas seulement de ce que l'on a vécu soi-même.

— Ici, les résistants étaient tous communistes. Ce Nibbio devait être un résistant dissident, un soldat en déroute… Il y en avait beaucoup en Lombardie.

— Au parti, personne ne le connaît ? Je veux dire parmi les plus anciens.

— Le parti ! s'exclama Barigazzi avec un geste de la main théâtral qui semblait accompagner la musique qui accélérait vers un crescendo annonçant un coup de théâtre. Que reste-t-il du parti ? Ce que l'on voit hors d'ici, dit-il en montrant une direction qui devait être celle du Pô. Un ramassis de personnes en fuite qui essaient d'emporter avec elles tout ce qu'elles peuvent, tout en sachant qu'elles sauveront peu de choses et que le principal sera pris par l'eau. Voilà ce qu'est le parti, conclut-il plein d'acrimonie en avalant son verre de vin d'un mouvement furieux.

— Certaines choses ne s'oublient pas. Vous, vous ne l'avez pas fait.

— Seuls nous restent les souvenirs, commenta Barigazzi avec aigreur. Et les remuer ne nous fait même pas plaisir.

— Je suis désolé, mais je crains de devoir jouer le rôle de la louche... Ou de la crue, dit le commissaire en faisant un geste vague vers l'extérieur.

— Alors il vaut mieux que vous laissiez les eaux décanter, intervint Torelli. Peu à peu tout s'éclaircira. »

Soneri le regarda et sur le visage de l'homme apparut un sourire, léger, fugace.

« Lorsque les fleuves décantent, les eaux s'éclaircissent mais recouvrent le fond de sable.

— Vous savez très bien creuser, reprit Torelli d'un ton qui parut allusif.

— Vous ne nous avez pas dit si vous êtes allé inspecter la péniche, fit Ghezzi.

— J'y suis allé et il manque le canot de sauvetage.

— Je l'avais bien dit! réagit Barigazzi. Quelqu'un conduisait! On n'a jamais vu une péniche passer toute seule sous quatre ponts sans en emboutir un!

— On n'a pas encore retrouvé la barque.

— Vous pouvez toujours demander qu'on la cherche avec la radio, suggéra Vernizzi. Les veilleurs l'ont certainement vue. À moins qu'ils ne l'aient abandonnée au courant.

— Ça me semble probable, murmura Barigazzi. Mais avant quelqu'un l'a forcément utilisée.

— Vous pensez que ce quelqu'un a pris la fuite vers l'autre berge ? »

Barigazzi le jaugea du regard pour comprendre s'il plaisantait.

« Comment êtes-vous monté, vous, sur la péniche ?

— Par la passerelle.

— Vous pensez que s'il avait fui du côté de l'Émilie, il se serait servi de la barque ?

— Il aurait pu la prendre pour accoster plus en aval, mais en restant sur la rive droite. »

Le batelier secoua la tête.

« Luzzara est l'endroit le moins surveillé et le moins surveillable entre Parme et Reggio.

— Et sur l'autre berge ?

— Personne ne garde la partie intérieure du coude de Suzzara. Là-bas, le fleuve n'est jamais sorti de son lit. »

C'était possible. Celui qui était sur la péniche avait eu peu de temps pour disparaître. Juste le temps de mettre le canot à l'eau, de se laisser dériver un peu en aval en se servant du courant et de le guider jusqu'à la rive lombarde en aval de Dosolo. De remonter la digue et d'abandonner l'embarcation sur le fleuve. Le carabinier préposé à la garde du bateau de Tonna lui avait dit qu'il ne s'était pas écoulé plus de vingt minutes entre le choc contre la digue et l'arrivée de la patrouille en reconnaissance. Mais ils n'avaient pas non plus effectué de recherches immédiates sur la rive émilienne.

La musique prenait à présent une tonalité dramatique et accompagnait les hypothèses de Soneri, qui imaginait la façon dont l'homme s'était enfui ce soir-là sur le fleuve en crue, entre les digues qui semblaient plus petites quand on les regardait depuis le cours d'eau. Il pensait à un homme seul et déterminé qui se hissait, glissant dans la boue pour regagner la terre ferme. Qui marchait dans la vase jusqu'aux genoux, trempé comme un animal de marécage, pour ensuite, qui sait, atteindre une habitation à la manière d'un soldat démobilisé et se mettre à parler l'un des dialectes de la Vallée du Pô.

Il ne s'aperçut pas que les quatre hommes l'observaient. Le Sourd s'était placé à ses côtés, trop discret pour qu'il sente sa présence. Alors il hocha la tête et Barigazzi souleva encore ses doigts tordus comme de vieux clous.

« Le fortanina est la meilleure chose de la basse plaine du Pô après Verdi et le cochon, déclara Torelli.

— Et celui du Sourd est incomparable », ajouta Vernizzi.

La faible lumière et le rouge des briques évoquaient une cave. Une obscurité épaisse bouchait les fenêtres. Soneri replongea dans ses réflexions et il se représenta à nouveau la fugue.

« Suzzara, Dosolo… Ce pourrait être quelqu'un du coin… murmura-t-il de manière à peine audible.

— Ces deux rives n'en forment qu'une : le fleuve ne sépare pas, mais réunit, répliqua Barigazzi.

— C'est la raison pour laquelle je vous ai demandé si vous connaissiez les résistants et le Nibbio en question.

— À mon âge, désormais, j'ai l'impression que le brouillard du Pô m'est entré dans la tête.

— Le vin éclaircit toujours les idées », riposta le commissaire en regardant autour de lui, dans cette auberge où tout semblait rappeler le passé.

D'un rapide coup d'œil, il passa en revue les personnages de Verdi représentés sur les murs, le fortanina que buvaient les clients, les briques si rouges qu'elles semblaient imprégnées de sang de cochon, le Christ aux jambes repliées.

« Ne vous laissez pas abuser par les apparences, poursuivit le batelier, on agite le passé quand on n'a plus confiance dans le présent.

— Il ne me semble pas que vous ayez oublié. Ce fleuve, par exemple… »

Barigazzi l'interrompit d'un geste de la main.

« Laissez tomber. Il faut distinguer l'expérience de la mémoire. On a l'illusion que l'on se souvient parce qu'il semble que tout est toujours identique, comme le fleuve qui n'a de cesse de couler entre une crue et une période d'étiage. Mais en fait on recommence chaque fois de zéro. Les souvenirs valent pour deux ou trois générations, puis ils disparaissent et d'autres les remplacent. Après cinquante ans, on revient à la case départ. Moi, j'ai chassé les fascistes et aujourd'hui ils sont de retour avec mes petits-enfants. Après quoi, eux aussi se retrouveront le cul par terre.

— Comme cela s'est produit pour Tonna ?

— Lui, il s'y est retrouvé très tôt. Il n'a quasiment pas eu le loisir d'y prendre goût, répondit Barigazzi.

— C'était quelqu'un qui frappait fort ?

— Il n'était pas le dernier. Davantage de l'autre côté du fleuve qu'ici. "Barbisin" était un nom qui faisait peur.

— Après la guerre, comment s'en est-il sorti ?

— Pendant quelque temps, il a été chauffeur sur les montagnes de la région de Brescia, où il avait été du temps de la République de Salò. Lorsque les eaux se sont calmées, il est revenu mais il s'est remis à naviguer pour rester loin de la basse plaine du Pô.

— On l'avait menacé ?

— C'est ce qu'on m'a affirmé. Mais, comme je vous l'ai dit, j'étais un jeune homme…

— Dans le parti, pourtant, vous êtes entré tôt…

— Et alors ? On ne s'occupait pas de Tonna. On se fichait d'un type qui faisait des allées et venues sur le Pô sans relâche. Il n'amarrait même plus ici, il lui restait seulement le port de Crémone, où il y avait certains de ses camarades, et deux ou trois mouillages dans le sud de la Vénétie où quelques propriétaires fonciers, d'anciennes Chemises noires, lui faisaient la grâce d'un demi-chargement par semaine. Il n'avait même pas de mazout pour se chauffer l'hiver. Il allumait le feu avec le bois pourri que lui apportait le courant.

— Et maintenant comment le traitez-vous ? »

Barigazzi le fixa d'un air stupéfait, estimant que la réponse allait de soi.

« Vous ne le voyez pas ? Lui ne parle pas et nous, nous ne parlons pas. C'est comme ça que l'on peut s'entendre.

— Y a-t-il quelqu'un au village ou dans les environs qui lui en veut ?

— Je vous l'ai dit, c'est une affaire qui concerne de pauvres vieillards. Selon vous, qui peut encore s'en souvenir ? Et puis aux yeux de tous, ce n'est plus qu'un malheureux accablé par les années et les remords s'il en est réduit à vivre trimbalé par les eaux. S'il n'est pas déjà mort, il mourra sans être en paix.

— Je ne parle pas des histoires de politique, je parle de quelque chose qui a pu se produire ces dernières années.

— Il n'avait aucune relation. Il n'échangeait pas plus de vingt mots par jour.

— Parfois cela suffit…

— La seule personne avec laquelle il parlait était Maria des sables », intervint Ghezzi.

Les autres lui lancèrent de furtifs coups d'œil dans lesquels le commissaire perçut une ombre de reproche.

« Qui est-ce ? »

Un autre mouvement rapide de pupilles laissa le champ libre à Ghezzi.

« C'est une femme de l'âge de Tonna qui a passé une grande partie de sa vie sur un îlot du Pô à creuser le sable.

— Et aujourd'hui où vit-elle ?

— Aux Casoni, deux kilomètres dans les terres, répondit l'homme en indiquant une direction qui devait être celle de la plaine. C'était la seule qui hébergeait Tonna à part sa nièce. Et il rendait la politesse lorsque le Pô en crue submergeait l'îlot et lui emportait tout.

— Maintenant elle arrive à vivre loin de l'eau ?

— Elle a été frappée de paralysie, elle ne pouvait plus rester seule dans un cabanon. Dans sa jeunesse, c'était une sorte de sauvageonne qui parlait uniquement le dialecte, expliqua Ghezzi. Aujourd'hui, l'îlot n'existe même plus. Les dragues ont modifié le courant et les eaux l'ont rongé peu à peu.

— Même le Pô dévore ce qu'il a créé. Tout se modifie perpétuellement. Au parti, il y a seulement vingt ans, on nous enseignait que l'Histoire va toujours de l'avant, vers un futur meilleur ; à présent, non seulement l'optimisme a disparu, mais le parti aussi. Je ne crois franchement pas que les choses puissent s'améliorer. Comme le Pô, nous marchons vers la fange d'une mer fétide », conclut Barigazzi.

Il avala son dernier verre de fortanina, le posa bruyamment sur la table et se leva brusquement. Au moment où il regagnait la sortie, les trois autres se levèrent aussi, en silence.

5

Son portable sonna alors que l'Alfa voyageait à la vitesse d'une vieille calèche dans le brouillard de la basse plaine. Cette fois-ci, la voix d'Angela ne lui brutalisa pas les tympans, ce qui le mit en alerte.

« Tu dois garder le doigt dans la brèche et tu ne peux plus bouger ?

— J'essaie de rentrer, mais le brouillard est si épais qu'on peut appuyer un vélo dessus.

— Ne t'inquiète pas, si tu fais une sortie de route, au pire tu finis dans un snack-bar.

— Je préfère un fossé.

— Ne fais pas la fine bouche : tu as un bon coup de fourchette.

— Je vis de fortanina et de jambon blanc.

— Pauvre chou ! On va entendre ton estomac gargouiller jusqu'aux Préalpes. Tu sais que Juvara t'a longuement cherché aujourd'hui ?

— Dans certaines zones, il n'y a pas de réseau. Mais comment le sais-tu ?

— Je suis allée à la préfecture de police. On m'a nommée défenseur d'office.

— On peut se voir ?

— Tu peux faire une croix dessus. Il est presque dix heures. Je n'aime pas attendre les hommes, je préfère le contraire. Mais si tu me l'avais demandé avant... expliqua-t-elle d'un ton allusif.

— J'ai tardé parce que j'ai dû interroger les membres du cercle nautique. Aujourd'hui je suis monté sur la péniche et j'ai trouvé un mot qui parle d'un résistant. C'être peut-être là le mobile, mais tout apparaît mystérieux.

— Je ne suis jamais montée sur une péniche, constata Angela. Mais dis-moi plutôt : si demain tu es au bureau, on peut se voir...

— Tu défends quelqu'un que j'ai coincé ?

— Non, ne t'inquiète pas, un petit dealer attrapé par la brigade des stups.

— C'est mieux comme ça.

— Dommage, je t'aurais donné du fil à retordre... » conclut-elle avec malice.

Après avoir raccroché, il composa le numéro de Juvara.

« Enfin ! s'exclama l'inspecteur. J'allais envoyer une patrouille sur le Pô. »

Soneri observa le brouillard entraver son chemin avec obstination et il eut l'impression qu'il s'était perdu. Et pas seulement sur la route, mais aussi dans l'enquête qu'il conduisait en passant d'un bout à l'autre de la plaine. Cette sensation s'amplifia en écoutant les mots de son assistant.

« Nanetti et Alemanni vous ont cherché. Nanetti dit qu'il a de nouveaux résultats concernant les analyses de sang trouvé sur les bris de verre. Il n'appartient pas au personnel du service.

— Et Alemanni ?

— Je crois qu'il vous cherchait justement pour ça. »

Il eut la sensation désagréable de s'être trompé sur toute la ligne. Il s'était aventuré sur les rives du Pô à la recherche de fantômes du passé et d'un homme disparu alors qu'en ville le frère de ce dernier avait été à coup sûr assassiné.

« Tu lui as dit où j'étais ?

— Oui », répondit Juvara d'une voix hésitante.

Il ne voulut pas en savoir plus. Ce ton voulait tout dire, il était bien plus éloquent qu'un reproche. Il accéléra par dépit, mais il dut ensuite freiner brutalement parce qu'il se retrouva tout à coup nez à nez avec les lumières rouges d'une voiture le précédant.

Lorsqu'il arriva chez lui, il fuma le dernier cigare de la journée dans la cuisine en restant plongé dans la pénombre, accoudé à la table. Avant de s'endormir, avec dans la bouche encore le goût du fortanina, il se souvint que son père adoptait la même position.

Alemanni ne le retint pas plus d'un quart d'heure. Il l'informa des résultats des analyses sur la vitre brisée avec une pédanterie de mademoiselle je-sais-tout qui l'irrita, mais il s'abstint de faire des commentaires sur la conduite de l'enquête. Soneri, quant à lui, ne fit aucune allusion à la perplexité affichée auparavant par le magistrat. Nanetti, en revanche, lui fit part au téléphone de ses impressions. L'homme avait été à coup sûr au moins assommé avant d'être jeté par la fenêtre. Sur le rebord, il n'y avait pas de traces de lutte, ni même sur le radiateur. Aucune empreinte de la victime, preuve qu'il n'avait pas tenté de s'agripper ni de résister. La seule trace de lutte était ce coup porté contre l'armoire en métal sur laquelle était restée la marque de la semelle en caoutchouc de l'une des chaussures de Decimo. Toutefois, personne n'avait entendu de bruit sourd, ni remarqué de déplacements suspects. Soneri était intrigué par la façon dont l'assassin avait frappé et étourdi sa victime. Tout s'était déroulé sans problème jusqu'au heurt contre la vitre, jusqu'au bruit des éclats de verre tombant. Puis la fuite vers la sortie. L'assassin devait avoir eu beaucoup de sang-froid. Assez pour s'éloigner sans hâte, comme un simple patient parmi les autres, allant et venant.

« Juvara ! » appela-t-il.

L'inspecteur arriva alors que les secrétaires continuaient à mettre sous le nez de Soneri des documents pour qu'il les signe.

« Interroge les patients et les infirmiers des services fréquentés par Decimo Tonna, dit-il sans lever les yeux de l'index de l'employée qui lui montrait où il devait apposer son paraphe. Je veux connaître tous ses déplacements des quinze derniers jours et savoir de quoi il parlait. »

Une fougue malsaine l'avait saisi. Et ce n'est qu'un peu plus tard, dans la quiétude du *Milord* semi-désert, derrière le rideau de fumée de son cigare toscan, rasséréné par un plat de tortelli aux herbes et à la ricotta, qu'il comprit la source de son anxiété. Elle était née de sa curiosité insatisfaite quant à ce qu'il s'était passé sur le Pô. Il s'imaginait le visage de Barigazzi et des autres affichant un air vaguement narquois. Alors qu'il ressentait déjà le besoin pressant de retourner dans la basse plaine, son portable retentit. Il détestait l'entendre sonner au milieu d'un repas, mais il avait oublié de l'éteindre et les quelques clients, au son de l'*Aïda* écorchée, se retournèrent, légèrement agacés. Il se résolut donc à dire « Allô » pour le faire taire.

« Commissaire, je suis dans les cabinets de consultation du service orthopédique, bafouilla Juvara.

— Tu t'es cassé une jambe ? répliqua Soneri, toujours indisposé par les entrées en matière de l'inspecteur.

— Non, mais les infirmiers de garde m'ont fait part de quelque chose que je n'arrive pas à m'expliquer...

— C'est quoi que tu n'arrives pas à t'expliquer ? demanda-t-il en mettant dans sa bouche un tortello entier.

— Ils disent que Decimo, ces derniers jours, était sacrément nerveux. Il scrutait avec suspicion tous ceux qui entraient et, une fois, ils l'ont vu s'enfuir avec précipitation après avoir vu passer quelqu'un dans le couloir.

— Tu as compris qui cela pouvait être ?

— Non, personne ne s'en souvient : ça n'a été qu'une apparition fugace. »

Le récit de Juvara avait fini par le distraire de ses tortelli et, lorsqu'il en remit un dans la bouche, il était froid désormais. Il ne supportait pas le beurre et le fromage solidifiés en grumeaux et dépossédés de la tiédeur insufflée par les fourneaux.

Alceste considéra son plat comme s'il avait aperçu un cafard.

« C'est ce que je dis toujours : la sonnerie de ces portables fait tourner la ricotta », commenta-t-il.

Mais à ce stade, Soneri était déjà agité. Les mots de Juvara avaient créé dans son esprit une série de scénarios confus, comme dans un magasin de marionnettes. Pour ne pas succomber aux conjectures, il se leva et se dirigea vers l'hôpital. Il trouva l'inspecteur perché sur un haut tabouret du snack-bar entre les pavillons.

« Quand tu descendras de ton perchoir, on te conduira directement à la salle des plâtres, fit remarquer Soneri en toisant avec ironie la silhouette pataude de l'inspecteur.

— J'y ai passé une matinée entière, interrompit l'autre. Je ne me suis cassé aucun os, mais autre chose, ça oui.

— Ça fait partie du métier. Et à qui dois-je les casser, moi, pour savoir qui inquiétait le Tonna des villes ?

— L'infirmière en chef s'appelle Luisa, elle finit à deux heures. »

C'était une femme agréable, solide dedans et dehors.

« Ça n'a pas suffi ce que j'ai raconté à votre collègue ? » dit-elle en riant.

Elle l'avait reçu dans la salle de garde, où stagnait l'odeur des désinfectants.

« L'avez-vous vu inquiet ces derniers jours ? »

L'infirmière en chef le regarda quelques instants avant de parler.

« Je dirais que oui.

— Qu'est-ce qui vous fait dire ça ?

— D'habitude, expliqua l'infirmière, il restait toute la matinée, mais ces derniers temps il allait et venait en proie à une sorte de fébrilité. Il parlait même moins.

— Avez-vous compris ce qui l'agitait ?

— J'ai demandé un peu autour de moi. On m'a dit qu'il attendait un anniversaire, une date, mais qu'on ne savait pas à quoi cela se référait. Et pas même si c'était cela qui le préoccupait.

— On ne vous a rien dit d'autre ?

— Non, répondit l'infirmière en chef, j'aurais voulu approfondir, mais l'homme qui savait le plus de choses est mort il y a quelques jours.

— Avez-vous une explication concernant la raison de tous ces va-et-vient plusieurs fois par jour ? »

Elle écarta les bras.

« Il s'en allait, puis il revenait… Je ne saurais dire pourquoi. J'avais comme la sensation qu'il se sentait traqué et qu'il changeait continuellement de place pour qu'on ne le retrouve pas.

— Normalement, sinon, comment se comportait-il ?

— Il était tout à fait tranquille. On vous a déjà certainement rapporté qu'il restait ici jusqu'au départ du tout dernier patient et que parfois il attendait carrément que nous sortions tous des cabinets de consultation pour nous accompagner. On le trouvait souvent occupé à lire les revues de la salle d'attente et seules les femmes de ménage parvenaient à le convaincre de se lever. Les infirmières, désormais, le considéraient comme quelqu'un de la maison.

— De quoi parlait-il avec les patients ?

— Il les réconfortait, les écoutait et quelquefois s'intéressait à eux en profitant du fait que désormais les médecins le connaissaient. Ici viennent beaucoup de vieilles personnes qui ne parlent jamais avec personne et qui se faisaient une fête de parler avec Tonna.

— Vous dites qu'il attendait une date anniversaire ?

— Oui, apparemment. Mais elle ne le concernait peut-être pas. »

Au moment de quitter l'infirmière en chef, le commissaire se souvint de Sartori. Il descendit à nouveau les allées de l'hôpital et monta au service de néphrologie. Il trouva l'homme presque assoupi, les aiguilles dans le bras et la machine ronflant. Il lui parut encore plus jaunâtre et décrépit lorsqu'il l'observa avec un sourire fatigué.

Puis il ouvrit grands les yeux.

« Du nouveau ?

— Votre ami Decimo ne s'est pas jeté par la fenêtre, on l'a balancé. »

Frappé par cette nouvelle, l'homme demeura immobile, en silence, fixant le plafond.

« Est-il vrai que, dernièrement, il était très agité ? Ces derniers jours, j'entends », ajouta le commissaire pour rompre le mutisme de Sartori.

Il le vit bouger légèrement la tête en signe d'assentiment. Puis, alors qu'il se résignait à subir ce silence, le son faible de sa voix lui parvint encore.

« Pardonnez-moi, mais je suis très angoissé.

— Vous saviez qu'il attendait une date anniversaire ?

— Il m'en avait parlé, mais quand j'ai essayé d'en savoir plus, comme toujours il a évité mes questions. Il était fait comme ça : s'il ne disait pas les choses de lui-même, il était inutile de vouloir les lui soutirer.

— Que vous a-t-il dit à propos de cette date anniversaire ?

— Ce ne devait pas être un moment joyeux, il y faisait allusion avec crainte. Il m'a juste raconté qu'il avait reçu une lettre.

— Une lettre de qui ?

— Je l'ignore. Mais la chose l'avait mis en émoi. Il était devenu ombrageux. La dernière fois que je l'ai vu, il m'a demandé si j'avais remarqué de nouveaux visages entrer dans le service. Je lui avais répondu que, à part nous, malades chroniques, il y avait toujours de nouveaux visages dans un hôpital. Je plaisantais, mais il l'a mal pris. Il ne m'a plus parlé et il est allé s'asseoir près de la sortie, d'où l'on voit qui passe dans le couloir. »

Le matin suivant Tonna avait été défenestré du troisième étage. Tout laissait à penser qu'il avait quelqu'un aux trousses le pourchassant de service en service, sans doute l'assassin en personne. Soneri réfléchissait sans regarder Sartori étendu sur le lit. Et lorsqu'il posa à nouveau son regard sur l'homme, celui-ci s'était vraiment assoupi. Il sortit alors du cabinet de consultation juste à temps pour éviter que la marche de l'*Aïda* ne le réveille.

« Tu n'as pas fini ta partie de pêche ? lança Nanetti.

— Tu m'as mis au sec avec tes nouvelles sur le Tonna des villes.

— Tu dois être content, n'est-ce pas ? Quelle tête a fait Alemanni ?

— Il avait l'intention de me reprocher d'être allé chercher le batelier, mais il s'est abstenu parce qu'il craignait que je le prenne au dépourvu.

— C'est ce que tu aurais dû faire, il ne faut rien laisser

passer. Et sur le frère qui a volé par la fenêtre, il y a du nouveau.

— Quoi ?

— Tu te souviens du coup sur l'armoire ? Il a été donné par une chaussure de Tonna, mais ça n'a pas été un choc violent. Le métal fait un demi-millimètre d'épaisseur et un léger impact suffit pour le cabosser. Puis il y a la blessure à la tête. L'expert d'anatomopathologie a dit qu'elle a été provoquée par un objet contondant du genre bâton mais avec une arête. Un corps métallique probablement. Entre le coup à la tête et le vol plané ne sont passées que quelques secondes, tant et si bien qu'il n'y a du sang ni dans le cagibi, ni sur le rebord de la fenêtre.

— On le traquait, dit Soneri en traduisant ses pensées en mots, quelqu'un le poursuivait d'un service à l'autre. Quelqu'un de très dégourdi et discret, qui est passé inaperçu aux yeux de tout le monde. Peut-être celui-là même qui lui avait adressé une lettre capable de le troubler.

— Ça, ce sont tes affaires, commissaire », dit Nanetti en mettant fin à la conversation.

Peu après, Soneri composa le numéro de Juvara.

« Tu as sous la main le dossier de Decimo ? Regarde quand il est né. Vérifie aussi la date de naissance de son frère. »

Il entendit l'inspecteur frapper sur le clavier. Son silence révélait néanmoins une certaine stupeur face à cette requête.

« D'après toi, quelle date anniversaire pouvait tomber pour Decimo dans les jours ayant précédé son assassinat ? »

Juvara soupira, preuve que maintenant il avait compris.

« Ce n'est pas son anniversaire, il est né en septembre. Ni celui du batelier : il est de juin.

— Si nous savions au moins de quoi il parlait... murmura le commissaire.

— L'infirmière en chef m'a rapporté une seule phrase prononcée par Tonna l'une des dernières fois qu'il a mangé dans le service, mais elle n'a pas compris à quoi il faisait allusion.

— Quelle phrase ?

— Tous deux parlaient de sa santé, du fait qu'il était en pleine forme parmi tous ces malades et lui, piqué, s'est fâché, bougonnant que "les anges" l'attendaient probablement. L'infirmière en chef dit que tout le monde s'est mis à rire, mais qu'ensuite, en y repensant, elle ne parvenait pas à comprendre à quoi il se référait. Peut-être au fait que notre vie à tous est suspendue à un fil ? Ou bien à quelque chose d'autre ?

— C'est le seul détail qu'elle se rappelle ?

— C'est celui qui l'a marquée le plus. Il doit bien y avoir une raison, non ? »

Soneri resta silencieux quelques secondes.

« L'appartement de Decimo est sous scellés ?

— Oui, mais pour entrer il suffit de prévenir le magistrat. »

Tonna habitait dans une copropriété dont la façade était décolorée, non loin de l'hôpital. Deux pièces et une salle de bains, dans lesquelles stagnait l'odeur de vieux plats cuisinés. Sur la cuisinière était restée la petite casserole du café au lait, et les pièces étaient en désordre comme si Decimo avait dû courir en toute hâte à un rendez-vous. Dans la chambre, il nota la photo de deux vieilles personnes, certainement ses parents, et celle d'une enfant, probablement sa nièce. Sur la commode, son portrait, jeune, en chemise noire.

Soneri ouvrit les tiroirs et commença à les fouiller. L'un d'eux était bien plein, rempli de factures rangées par années et tenues par des élastiques. Le deuxième contenait divers documents : des papiers de retraite, des certificats médicaux et des reçus. L'appartement donnait l'impression d'une vie située tout juste au-dessus du niveau de la simple subsistance. Les objets, conservés avec soin, avaient vécu. Les miroirs devenus opaques, la tapisserie défraîchie, les tentures élimées et certains angles plus humides des murs, désormais couleur lièvre, disaient une misère vécue avec dignité.

Alors qu'il passait en revue la garde-robe, dans laquelle il dénicha des pantalons à la zouave et une chemise noire, son portable le fit sursauter. Il attendit de nombreuses sonneries avant de répondre.

« Chez qui t'es-tu planqué ? l'apostropha Angela en percevant l'absence de bruits de fond.

— Je fais une perquisition.

— Tu fouilles sous la jupe d'une dame, de celles qui adorent les uniformes et les hommes d'action ?

— Je ne porte pas l'uniforme et je n'aime pas non plus l'action.

— Je confirme. Personne ne peut le savoir mieux que moi.

— Je suis chez Decimo Tonna. Et je n'ai pas la moindre idée de ce que je dois chercher.

— Quelle coïncidence ! Je suis justement en bas de chez lui !

— Comment as-tu fait pour savoir que j'étais là ?

— J'ai toujours eu beaucoup d'ascendant sur Juvara… Quoi qu'il en soit, je te rejoins à l'instant. »

Cette annonce lui procura une anxiété liée en partie à la crainte d'enfreindre le règlement et en partie au désir. Mais lorsque Angela apparut après quelques minutes, c'est ce dernier qui s'imposa de manière impérieuse. Elle jeta son manteau sur une chaise d'un geste étudié, s'approcha de Soneri et l'attira vers elle en le saisissant par le col. Sur son visage, le commissaire lut la même excitation qu'il éprouvait à présent lui aussi au contact du corps de sa compagne.

« Où ? demanda-t-il, imaginant comment les choses allaient finir.

— Dans le salon, répondit-elle. Je me méfie des draps dans lesquels d'autres ont dormi », ajouta-t-elle en jetant un coup d'œil au lit dans la chambre.

Soneri se releva un peu endolori. Une fois l'excitation passée, il se sentait tellement détendu et amorphe qu'il eut du mal à retrouver ses pensées délaissées peu avant l'arrivée d'Angela. Alors c'est elle qui le reconduisit vers l'enquête.

« Tu as une idée de ce que tu dois chercher ? lui demanda-t-elle, après qu'ils se furent rhabillés.

— Non, répondit-il en passant une main dans ses cheveux. Peut-être une lettre avec une menace voilée.

— Une menace récente ?

— Je crois que oui, à en juger par l'inquiétude de Decimo ces derniers jours. »

Ils fouillèrent ensemble en vérifiant une à une toutes les feuilles de la commode. Ils examinèrent même les vêtements qui semblaient avoir été portés récemment et une robe de chambre accrochée derrière la porte de la chambre à coucher. Rien d'intéressant. Ils retournèrent alors dans la cuisine. Soneri pensait que si Alemanni avait su qu'il était dans l'appartement de Decimo avec une femme, il aurait dérangé le préfet de police.

« Il n'y a rien, dit-il à la fin, agacé, en mettant son cigare éteint entre les lèvres.

— Ou il n'y a rien, ou ce qu'il y a se trouve à un endroit si banal qu'on ne pense pas à regarder », fit remarquer Angela.

Il s'était assis, coudes sur la table. Il se souvint qu'il avait fait la même chose le soir précédent dans la pénombre de sa cuisine. En vieillissant, il tendait à ressembler de plus en plus à son père et ce souvenir l'attendrit. Avec une pointe de nostalgie, il se revit enfant, les sombres matins d'hiver, lorsqu'il se réveillait avant l'aube pour réviser et que son père le saluait en prenant son portefeuille dans le plat en porcelaine posé sur le frigo. Il se remémorait ce plat : il représentait la Mole antonelliana et il était toujours rempli de papiers. C'est alors qu'Angela le vit se lever comme un somnambule, affichant un léger sourire. Sur le frigo de Decimo Tonna aussi était posé un plat en porcelaine. À l'intérieur, avec des reçus de teinturerie et des billets de bus, il trouva une enveloppe grossièrement déchirée, sans timbre ni adresse, sur laquelle était seulement écrit « Decimo Tonna », en bleu. Il l'ouvrit et trouva à l'intérieur une feuille à carreaux découpée dans un cahier : « Cinquante-septième anniversaire ». Et, au-dessous : « Section San Pellegrino, carré E, troisième rangée, numéro 32 ».

« Tu te sentirais menacé par ces mots ? » demanda Angela.

Il ne savait que répondre. Ces deux phrases appartenaient à un code qu'il ne connaissait pas. Mais la référence à l'anniversaire était sans équivoque.

« Les frères Tonna étaient la cible de nombreuses rancœurs.

— À cause de… »

Angela ne finit pas sa phrase parce qu'il l'interrompit.

« Oui, ils étaient fascistes. Le batelier, notamment, doit en avoir fait de toutes les couleurs dans la basse plaine. Mais il s'agit d'histoires tellement vieilles…

— Bon, aujourd'hui tout ça ne devrait plus être une faute, vu que "ces gens-là" sont revenus aux commandes.

— La mémoire n'est pas totalement morte. Le long du Pô survivent des espèces ailleurs éteintes », commenta Soneri avec une ironie amère.

Après avoir salué Angela, il pensa à nouveau au fleuve et à la crue. Qui sait si les eaux avaient baissé jusqu'à dégager le bord des digues des lits d'inondation. L'enquête continuait à lui sembler plus abordable s'il la regardait depuis ces berges. À condition que l'élimination de Decimo et la disparition d'Anteo fussent liées. Mais pouvaient-elles ne pas l'être ? Sur Decimo, il bloquait. On aurait dit que sa vie était prisonnière d'un cocon inviolable. Avec ses voisins, ses relations se limitaient à un simple salut. Personne ne s'arrêtait pour échanger quelques mots avec lui au coin de la rue. Il ne fréquentait aucun établissement. Decimo se levait le matin assez tôt, puis il sortait et se rendait à pied à l'hôpital, où il passait toute la journée entre un service et l'autre en bavardant avec les patients. Il obtenait son déjeuner et son dîner des infirmières, dont il était si proche que désormais elles le laissaient passer comme un parent ou un auxiliaire de vie. Le soir, il rentrait chez lui et s'enfermait dans son petit appartement modeste. Ça et rien d'autre pendant des années, depuis qu'il était rentré de l'étranger : peut-être ainsi, dans cette retraite, avait-il essayé de dissimuler son existence. À l'hôpital, où les gens ne pensent qu'au présent de la maladie et à un futur incertain, il s'était trouvé à l'aise, si bien qu'il considérait les lieux comme son véritable foyer. Était-ce un homme en fuite même avant que ne lui arrive cette lettre comparable à une sentence de mort ? Ou bien n'était-ce que cette lettre qu'il fuyait ? L'ironie dans tout ça était qu'elle lui soit parvenue alors que désormais la vie lui présenterait spontanément l'addition.

À la préfecture de police, Juvara examina longuement la feuille à carreaux :

« Section San Pellegrino… Je dirais qu'il est question d'un cimetière. Si nous considérons la manière dont il a fini et les menaces… »

Soneri aussi avait eu la même impression. Mais quel cimetière ? Le mystère qui entourait la vie des deux frères semblait encore ne pouvoir être percé. Aguerris par des années de clandestinité, ils avaient comme hissé le pont-levis pour se séparer du monde, l'un naviguant sur le Pô en solitaire, l'autre choisissant de vivre parmi des vieillards souffrants.

Le téléphone sonna.

« Commissaire, l'adjudant Aricò souhaite vous parler », dit Juvara en couvrant le combiné.

Soneri hocha la tête en indiquant son appareil.

« Commissaire, quand vient la police scientifique pour inspecter la péniche ? Je ne peux pas laisser une patrouille mobilisée jour et nuit.

— Ce n'est pas vos collègues de Luzzara qui devaient s'en occuper ?

— Maintenant que les eaux ont baissé, ils m'ont refilé l'affaire. À Luzzara il y a eu un vol à main armée et ils doivent s'en charger.

— Patientez encore quelques heures, répliqua Soneri. Il y a du nouveau ?

— Vos amis communistes sont retournés au cercle nautique pour nettoyer les lieux inondés.

— Ce ne sont pas mes amis, précisa-t-il, agacé par l'ironie de l'adjudant, et peu m'importe s'ils sont communistes.

— Des têtes brûlées. Seul l'âge fait qu'ils sont calmes, mais ils resteront à jamais de grands cabochards.

— Tous les mêmes dans la basse plaine. Sinon le fleuve les aurait emportés comme le sable. »

Lorsqu'il raccrocha, il se sentit soulagé. Aricò lui avait fourni un prétexte pour retourner sur les lieux et parmi les gens qui l'intriguaient le plus. Il se sentait comme un pêcheur accroupi dans une barque ondoyant lentement sur les flots dans l'attente de la secousse de la canne à pêche qui met fin à l'immobilité de l'embuscade et pousse à l'action.

« C'est jour de sortie, je t'emmène à Luzzara : nous jetterons un coup d'œil à la péniche, dit-il peu après à Nanetti.

— Toi et moi sur un bateau, répondit l'autre, comme dans une lune de miel.

— Et les carabiniers sur la passerelle protégeant notre intimité, ajouta le commissaire.

— Ce n'est pas grave si je t'envoie deux de mes hommes ? Je n'ai pas très envie d'aller dans un endroit encore plus humide que cette ville.

— Non, c'est toi que je veux. »

Il entendit Nanetti souffler. Ses articulations le lui feraient payer pendant une semaine.

Une demi-heure plus tard, Soneri se présenta au carabinier qui surveillait la péniche. En passant par le village, il avait constaté que le fleuve avait baissé et que même l'embarcation de Tonna paraissait s'être échouée sous la digue principale. La passerelle, à présent, descendait brusquement vers le pont, mais le bord des lits d'inondation n'apparaissait toujours pas dans l'eau vaseuse. À l'intérieur, il retrouva la même lumière et il pensa que les saisons, le soleil et le brouillard restaient immuablement hors de la cabine sans toucher à cette atmosphère opaque faite de solitude et de laisser-aller. Il fut attiré à nouveau par le petit meuble en bois dans lequel Tonna gardait ses papiers. Il relut encore les dates des voyages et les chargements de marchandises qui montaient et descendaient le cours du fleuve. La soute devait être remplie de blé destiné aux moulins de Polesella, mais il avait déjà établi qu'elle était vide. Du reste, il aurait pu le déduire aisément de la calaison. Il retourna sur le pont et aperçut le jeune carabinier qui fumait dans la boue de la digue. Il ouvrit la trappe de la soute et alluma sa torche. L'échelle était à disposition dans l'angle caché, mais elle avait un aspect peu attrayant. Il descendit avec réticence dans ce qui lui semblait être un piège à rat. Il souleva l'échelle en bois de saule et la coinça dans l'ouverture pour éviter que la trappe ne se referme. Dès qu'il s'engouffra dans cet antre, il fut assailli par une odeur âcre, dense et nauséabonde. Quelque chose qui ressemblait à une sueur d'aines et d'aisselles, de linge sale et humide. Et d'haleines à jeun. Dans un coin étaient restés des haillons et des pages de journal. Tonna ne transportait pas de céréales. Dans cet antre confiné, on percevait encore la présence des nombreuses personnes qui y étaient passées. Leur souffle était resté piégé à l'intérieur.

Soneri remit l'échelle en place et remonta en fermant la trappe. Il entra dans la cabine et ouvrit à nouveau le journal de bord. Tonna travaillait beaucoup, mais il ne chargeait pas ce qui était écrit. Et pourtant, dans une vieille boîte, étaient conservés les bulletins d'expédition avec la description de la marchandise. Au moins quatre voyages par semaine entre Crémone et la province de Rovigo. D'autre part, s'il n'avait pas navigué, comment aurait-il pu conserver sa péniche dont le moteur engloutissait des litres et des litres de gasoil pour remonter le courant ? Dans la comptabilité faite à la main, il fut frappé par une sorte d'extrême précision des chiffres. Les achats de carburant étaient reportés avec diligence dans une belle écriture et, chaque fois, les sommes s'avéraient considérables.

Il entendit le pas saccadé de Nanetti, si caractéristique, traverser le pont. Cela ressemblait à un égouttement irrégulier, celui d'une branche secouée par le vent.

« Je ne passerai pas sur cette planche une seconde fois, dit son collègue en se référant à la passerelle.

— Je suis sûr que tu y arriveras du premier coup », répliqua Soneri.

L'autre l'observa d'un air débonnaire, l'œil torve.

« Au milieu de cette moisissure, ça va être difficile de trouver quelque chose, constata-t-il en regardant autour de lui avec dégoût.

— Examine surtout la soute, l'avertit Soneri. J'ai le sentiment que cette péniche accueillait les croisières maritimes et fluviales les plus inconfortables. »

Nanetti le fixa avec attention et son regard laissait deviner qu'il avait compris.

« Par où peut-on entrer dans la soute ? »

Le commissaire le guida en retournant sur le pont et dès que Nanetti vit la trappe, il fronça les sourcils et souleva son menton comme un cheval qui refuse l'obstacle.

« Maintenant j'en suis certain, tu veux vraiment que je passe ma retraite sur une chaise roulante », se plaignit-il.

Soneri l'aida à descendre par cette échelle de poulailler et il resta sur le bord de la trappe. Lorsqu'il le vit se mettre au travail, l'ennui le prit.

« Je confie ta garde au planton des carabiniers », l'avisa-t-il.

Une voix résonna dans le fond :

« Tu es un traître, ce type va m'enfermer ici et va larguer les amarres. »

Soneri recommanda Nanetti au carabinier et se dirigea vers le village. Par moments, la route s'éloignait de la digue en pénétrant dans les champs inondés. Lorsqu'il vit le clocher, un panneau bleu indiquait le hameau Casoni. Instinctivement, il changea de direction en s'éloignant encore plus de la digue : il s'était souvenu de Maria des sables.

Il n'y avait pas plus de sept maisons et un immeuble, plus haut que le pont de Roccabianca, entouré d'arbres. Il entra dans le hall et prit quelques instants pour regarder autour de lui, cependant que quelques infirmières allaient et venaient en poussant des chariots d'où émanaient des senteurs de camomille.

« Je suis le commissaire Soneri, de la préfecture de police de Parme. Je cherche Maria des sables…

— Qui ? fit une infirmière en tendant l'oreille.

— Je ne connais pas son nom de famille. On m'a indiqué qu'il y avait ici une femme qui vivait sur un îlot et qui portait ce nom.

— Ce doit être Mme Grignaffini, dit la femme, c'est la seule Maria que nous ayons.

— C'est elle, probablement, répondit Soneri.

— Et vous voudriez lui parler ?

— Oui, mais si elle se repose, je reviendrai une autre fois. »

L'infirmière se mit à rire.

« Cette femme ne parle que le dialecte de Mantoue. Quoi qu'il en soit, sa voisine de lit peut traduire si vous en avez envie. Elle est à demi-folle.

— Ne vous inquiétez pas, je le comprends très bien. »

Maria des sables était une vieille dame à l'aspect arrogant. Grosse, le regard torve, elle portait de longs cheveux en désordre, gris comme le sable desséché. On aurait dit qu'elle se trouvait encore sur l'îlot en train de scruter les bateaux qui passaient sur l'horizon d'eau tout en craignant qu'ils accostent. L'infirmière s'approcha près d'elle et la prévint que Soneri était un policier. Elle lui parlait en dialecte et Maria donnait l'impression de ne pas l'écouter tant elle regardait fixement le commissaire.

« Elle l'a bien pris : si elle n'avait pas eu envie de parler, elle aurait déjà tourné le dos », lui fit savoir l'infirmière.

Soneri s'assit alors sur une chaise devant Maria, qui le salua d'un geste respectueux mais circonspect. On voyait qu'elle avait passé toute sa vie dans sa petite patrie régulièrement envahie et emportée en définitive par les dragues.

« Je comprends votre dialecte, il est pareil au mien, dit le commissaire en l'invitant à parler librement.

— Alors vous n'êtes pas du sud de l'Italie ? » lui demanda-t-elle avec le débit sévère des gens du Pô.

Soneri secoua la tête.

« Que voulez-vous savoir ? Je n'ai vu que de l'eau et des bateaux durant ma vie, poursuivit-elle dans son dialecte.

— Vous savez qu'Anteo a disparu ?

— On me l'a dit.

— Vous le connaissiez bien. Que peut-il lui être arrivé ?

— Il doit avoir filé dans la province de Brescia, comme après la guerre. Ces sales chiens de communistes…

— Qui ? »

La vieille femme releva son visage fier et plein de haine.

« Ceux qui étaient dans la Résistance. Beaucoup ont crevé, grâce à Dieu. D'autres sont partis après 1946, mais avant ils en ont fait des vertes et des pas mûres.

— Quelqu'un est-il resté ? »

Maria fit un signe de la main pour dire que oui.

« Barigazzi est resté, et il a mis sur pied un gang entier de rouges. Ils ont incendié mon cabanon deux fois, mais les carabiniers ne les ont jamais attrapés. Ils connaissent très bien le Pô et puis ils savent à quelles portes frapper le long des berges. »

Maria soupira de colère. Malgré son âge, de son corps masculinisé par les travaux pénibles se dégageait une force sauvage.

« Barigazzi dit qu'à l'époque du fascisme il n'était qu'un jeune homme.

— Il avait seize ans et il se promenait avec un revolver. C'est lui qui a tué Bardoni pour lui prendre son bateau au mouillage de Stagno. Tout le monde le sait.

— Et Anteo, comment s'en est-il sorti ?

— Je vous l'ai dit : pendant des années, il est allé dans le val Camonica.

— Mais après ?

— Heureusement les eaux se sont calmées, mais il était toujours sur ses gardes. Il naviguait la nuit et dormait le jour.

— On lui en voulait pour quelque chose en particulier ?

— Quand on est en pleine guerre, il y a toujours une bonne raison pour haïr. Les fascistes faisaient des rafles et les autres s'enfuyaient comme des lapins pour ensuite frapper en traître, dit la vieille femme, plus aigrie encore.

— Autant que vous sachiez, Tonna a participé à des représailles ?

— Que voulez-vous que j'en sache ? J'ai passé des années sans bouger de mon îlot. Seules les crues pouvaient me déloger. Le monde est si laid qu'il vaut mieux rester dans son coin.

— Pourquoi Anteo venait-il vous voir ? »

Ce n'est qu'après avoir prononcé ces mots que Soneri comprit qu'il avait touché une corde trop intime.

La vieille dame se figea quelques instants, mais elle trouva aussitôt une porte de sortie.

« On parlait peu tous les deux et on s'entendait bien. Le jour, lorsqu'il dormait, moi je montais la garde. Il n'avait confiance qu'en moi et dans le fait que nous étions sur une île au milieu du Pô.

— Il se sentait menacé, donc. Dernièrement aussi ?

— Moi je lui disais de ne faire confiance à personne, mais il répondait, lui, que le monde avait changé. Il s'était même mis à fréquenter le cercle nautique où se rend Barigazzi et il disait qu'il fallait tourner la page du passé, maintenant que l'on était de pauvres vieillards, et qu'on devait se préparer à tout oublier en jetant nos rancœurs dans le Pô. Il venait me trouver lorsqu'il le pouvait et chaque fois il me demandait d'embarquer avec lui. Moi je lui ai toujours répondu que désormais il pouvait se retirer sur la terre ferme, à son âge. Comme ça, tous les deux… Mais il ne se sentait pas bien les pieds sur terre, il préférait flotter. Il disait que les années passées dans les montagnes avaient pesé sur lui plus que la guerre, parce qu'il les avait vécues entre les sommets et les terrains pierreux. Il venait sur mon îlot aussi pour ça. La seule terre qu'il pouvait supporter était celle qui était entourée d'eau.

— Vous pouviez refaire votre vie dans une ville près de la mer.

— On y avait pensé, mais lui n'aimait pas l'eau inerte ou celle qui cogne contre les murs. Il voulait l'eau résolue du fleuve, celle qui sait où elle doit aller. Il avait même projeté de réaménager la péniche et d'en faire une maison où nous aurions vécu les jours où l'on ne pouvait rester chez moi. Mais après notre îlot a été balayé et moi je suis ici et je ne sais pas où il est, lui.

— Qui l'a balayé ?

— Ceux de la coopérative. Les communistes, répondit-elle en crachant presque.

— Ils l'ont assailli avec les dragues ?

— Oh, il n'a pas été nécessaire de l'assaillir. Il a suffi de détourner le courant, qui ainsi l'a érodé. Tout disparaît sous vos pieds mètre par mètre. La coopérative l'a fait exprès. En intriguant, elle a obtenu l'autorisation de creuser le sable dans un lieu qui ne rendrait pas la moitié de l'investissement. Elle a déboursé beaucoup d'argent dans le seul but d'effacer l'îlot. Lorsque je suis partie, ils étaient tous sur la digue en train d'exulter. Je suis passée devant eux alors qu'ils chantaient *Bandiera rossa* et au sommet du bras de la drague ils en avaient accroché un pour de vrai. »

La vieille femme devint blême et sa peau prit la couleur d'une flaque de boue. Sa voisine la regarda épouvantée et se mit à hurler. Deux infirmières la saisirent par les bras alors que Maria lui jeta avec dédain un regard dur. On comprenait qu'elle lui aurait volontiers donné deux gifles. Aussitôt après, Soneri fit l'objet des regards sévères des deux hommes en blouse blanche. Alors il s'approcha de Maria, lui donna une petite tape sur l'épaule et sortit.

6

L'*Aïda* stridente du portable retentit à nouveau. Et avant que Nanetti ne commence à parler, Soneri entendit son souffle oppressé.

« Tu as traversé le Pô à la nage ?

— Pour que je puisse remonter vers la digue sur cette passerelle, ils ont dû appeler une autre patrouille. Tu peux imaginer la honte pour nous vis-à-vis des carabiniers !

— Ne t'inquiète pas, ils savent très bien que tu n'es pas un homme d'action, tu représentes la partie intellectuelle de l'enquête.

— Tu pourrais m'épargner ces épreuves cruelles : j'ai l'impression d'être bon pour l'hospice.

— Comment t'a semblé la péniche ?

— Dans la cale, on trouve de tout. Une armée de pauvres diables a dû y faire un tour. Et même des enfants.

— Tonna ne transportait pas des céréales, ni autre chose, il transportait des clandestins, dit le commissaire.

— Tu as pu le vérifier ? demanda Nanetti avec son habituelle rigueur scientifique.

— Non, mais ça me paraît clair. Il allait et venait jusqu'au delta sous couvert de bulletins remplis par des grossistes complaisants. Officiellement il charriait des céréales, dans les faits des personnes qui devaient rester invisibles. Un moyen parfait, tout bien considéré : de l'Adriatique, où arrivent les bateaux, jusqu'au cœur industriel, où il est plus facile de s'installer. Le tout avec un moyen de transport bien moins risqué que les camions ou les trains. Sur le Pô, personne ne fait de contrôles.

— Il avait trouvé la solution pour vivre et entretenir sa péniche, glosa Nanetti. J'ai fait aussi d'autres relevés, que je te communiquerai plus tard », dit-il ensuite pour conclure.

Lorsqu'il mit le téléphone dans sa poche, Soneri se demanda quel lien il y avait entre le transport des clandestins et la disparition de Tonna. Il continuait à accumuler des informations sur lui et sur sa vie sans parvenir à progresser au sujet de l'endroit où il se trouvait ni de l'assassin de son frère. Il marcha jusqu'à la digue. Des équipes d'ouvriers retiraient les sacs de sable, la crue étant passée, tandis que le Pô s'apaisait jour après jour en se blottissant dans son lit.

Au cercle nautique transformé en chantier, on était en pleine ébullition. Ghezzi, Vernizzi et Torelli travaillaient en portant des seaux, alors que Barigazzi observait le fleuve en s'appuyant sur une pelle. Soneri arriva par-derrière en le prenant au dépourvu.

« Je parie qu'autrefois vous m'auriez déjà aperçu sur la digue. »

L'autre se retourna et une expression mêlant la colère et la peur se dessina sur son visage.

« Pourquoi remuer le couteau dans la plaie ? Je suis encore assez lucide pour admettre que je suis vieux.

— C'est juste un manque d'entraînement, essaya de minimiser Soneri. Maintenant, il n'y a plus de menaces. »

L'autre le regarda d'un air perplexe et ses yeux firent comprendre au commissaire qu'il voyait en lui une menace.

« Les lits d'inondation n'émergent pas encore, changea-t-il alors de discours.

— Vous vous trompez, affirma Barigazzi en indiquant une ligne qui longeait le courant. Le lit d'inondation n'est pas à plus d'un demi-mètre.

— Demain il apparaîtra en séparant les eaux, avança Soneri.

— Cette nuit, vers quatre heures. Le fleuve baisse de près de dix centimètres par heure, le froid le rétrécit.

— Combien de temps faudra-t-il pour que les lits d'inondation se vident ?

— S'ils mettent en route les pompes de drainage pour faire sortir l'eau des maisons, moins d'une semaine. Mais pour que cela sèche, il faudra attendre le printemps. Autrement, un mois de froid glacial sera nécessaire, expliqua Barigazzi en continuant à regarder au large le lent débit des flots.

— Vous avez déjà rouvert le cercle nautique, je vois.

— Presque. Les murs sont encore imprégnés d'eau et nous devrons laisser l'air faire son travail. Malheureusement, indiqua-t-il au loin en direction de la rive lombarde, le crachin, le brouillard arrivent. »

En effet, le ciel semblait gonflé au-dessus du fleuve et l'air, épaissi. Barigazzi, s'appuyant encore d'une main au manche de la pelle, donnait l'impression de n'attendre que lui. Une rencontre survenue des milliers de fois, mais toujours surprenante.

« J'aimerais savoir où il naît, dit Soneri.

— De tout et de rien, comme nous qui évoluons au beau milieu. »

Le soleil ténu de l'automne se voila, si bien que l'on pouvait le regarder en face. Le fleuve ne fit plus qu'un avec le ciel comme fait la neige en hiver avec les collines. Et c'est à cet instant qu'une longue silhouette sombre apparut à contre-courant en commençant une lente manœuvre d'amarrage. Lorsqu'elle passa devant eux, un banc de brouillard plus épais en estompa les contours. Le moteur toussotait doucement, avec un bruit rappelant la polenta en train de cuire sur le feu.

« Elle amarre à contre-courant, informa Barigazzi en réponse à un signe du menton du commissaire. Elle remontera un peu pour mieux entrer dans le port. »

Après quelques minutes, la péniche de Tonna se mit à tourner lentement en montrant son flanc avec le mouvement d'un poisson paresseux et alangui. Elle finit par accoster en glissant de côté jusqu'à ce que la muraille se couche sur un coussin de vieux pneus accrochés au parapet en béton. De la cabine sortirent alors deux hommes qui lancèrent les amarres à terre. Puis ils descendirent et les fixèrent au quai.

« Son dernier voyage », hasarda Soneri.

Barigazzi lui adressa un coup d'œil très éloquent mais ne dit rien.

« Qui sont-ils ? demanda le commissaire en indiquant les bateliers.

— Des gens de Luzzara, répondit l'autre de manière évasive. Ils ont une bonne poigne, ajouta-t-il, une manœuvre parfaite. Tonna n'aurait pu faire mieux. »

La nuit commençait à tomber ; à la porte du cercle nautique apparut également Gianna.

« On se voit chez le Sourd », dit Soneri en quittant les lieux, comme pour confirmer un rendez-vous déjà fixé.

Barigazzi ne bougea pas, mais il leva sa main libre en guise de salut et d'acquiescement.

Le commissaire passa le long des arcades du village en fumant son cigare. La caserne était enveloppée par le brouillard, mais au premier étage il vit de la lumière à la fenêtre de l'adjudant. Le planton le fit entrer dans les deux pièces des brigadiers dans lesquelles stagnait une odeur de minestrone réchauffé. Aricò était enrhumé et maudissait le brouillard et le Pô, alors que la radio transmettait de temps en temps les communications de la « radio mobile ».

« La péniche a été conduite au port, l'informa le commissaire.

— On s'en est libéré, grâce au ciel ! »

Soneri aurait voulu lui dire que son devoir était d'enquêter sur la disparition d'Anteo, mais il se retint, parce que ce désintérêt lui laissait plus de liberté de mouvement.

« Rien de nouveau ?

— Rien, répondit l'adjudant d'une voix nasale, je crains que cet homme ait vraiment mal fini.

— Je n'ai jamais cru à la fugue. »

Aricò poussa un long soupir.

« Moi non plus, admit-il.

— Vous avez une idée de ce que transportait Tonna pendant ces voyages ? »

L'adjudant se figea et tressaillit légèrement.

« Des céréales et d'autres marchandises à vendre au poids. La péniche n'était pas équipée pour les containers.

— Pas seulement ce type de marchandises.

— Et quoi d'autre ?

— Avez-vous déjà eu vent de l'arrivée d'immigrés clandestins le long du fleuve ?

— Pas chez nous. Dans la province de Crémone et de Plaisance.

— Avez-vous déjà contrôlé Tonna ?

— Qu'y avait-il à contrôler ? Un vieil homme conduisant une péniche d'un autre temps ? protesta l'adjudant, qui avait réagi aux questions de Soneri comme un brigadier. Vous croyez qu'il accostait ici avec un tas de gens dans la soute ? Il l'aurait déchargée avant, non ? Et certainement pas dans un port fluvial.

— Je vous demande juste de vous informer auprès de vos collègues des casernes situées sur le Pô. Vous comprenez, Aricò, ajouta Soneri en s'approchant d'un air complice, ce sont des trafics sordides. Et je n'exclus pas que le mobile se trouve là… À supposer, continua-t-il, que nous soyons tous deux convaincus qu'il ne s'est pas enfui. »

L'adjudant fit signe que oui, rasséréné, alors que le commissaire sortait de son bureau. Quelques instants plus tard, lorsqu'il traversa le village plongé dans le brouillard, il repensa à cette hypothèse en la sentant se désagréger peu à peu. Il n'aurait su dire quoi, mais quelque chose ne lui semblait pas convaincant. Surtout, il ne comprenait pas ce que Decimo venait faire dans cette histoire.

La nièce était derrière le comptoir, comme à l'accoutumée. Elle avait l'aspect habituel un peu négligé des femmes entre deux âges qui se laissent aller. La combinaison très ajustée mettait en valeur de larges hanches flasques de matrone, et ses cheveux, pour pouvoir revendiquer une certaine blondeur, auraient eu besoin d'une couleur. Elle s'approcha du commissaire en posant ses bras croisés sur le comptoir comme si elle se mettait au balcon. En accomplissant ce geste, elle comprima sa poitrine, qui remonta en dépassant le bord du décolleté. Soneri ne put éviter de l'observer : malgré tout, elle donnait l'impression d'une femme aussi en forme qu'une pouliche.

« Je souhaiterais vous parler de cet appel téléphonique. »

Elle le regarda d'un regard absent.

« Je veux dire l'appel de ce type qui cherchait votre oncle Barbisin. »

Quelque chose s'illumina sur son visage. Une lumière opaque, imperceptible.

« Je ne sais rien d'autre que ce que je vous ai dit.

— Lorsqu'il débarquait, il se limitait à vous apporter son linge à laver ou il restait aussi au village ?

— Dernièrement, il passait quelques heures ici.

— Il restait au bar avec vous ?

— Non, pas du tout. Il n'a jamais mis les pieds ici. Il venait chez moi.

— Et ensuite ?

— Il arrivait toujours très tôt le matin. D'ailleurs, moi aussi je me lève de bonne heure pour ouvrir le bar. On déjeunait ensemble, puis il s'en allait faire un tour.

— Où ?

— Euh... vers l'oratoire de Saint-Mathieu, le long de la digue.

— Pourquoi précisément là ?

— Les vieux sont attachés aux lieux qu'ils fréquentaient dans leur jeunesse. Notre famille a contribué à restaurer l'oratoire et, fut un temps, lorsqu'il y avait plus de gens ici, on y célébrait la messe pour cette partie du village.

— Il n'allait qu'à l'oratoire ?

— Parfois il allait trouver don Firmino dans son presbytère.

— Il était très pratiquant ?

— Il l'est devenu avec l'âge. Moi-même j'ignore pourquoi, répondit la femme comme si la chose était inconvenante.

— Vous n'avez rien remarqué de ce changement ? Je veux dire un mot, un geste qui puissent en révéler la raison, le motif ? »

Pendant qu'il posait cette question, Claretta le regardait avec une sorte de stupeur agacée. Puis il dut faire face à un visage obtus, dans lequel il semblait impossible d'ouvrir une brèche. Ils gardèrent le silence pendant quelques instants en se regardant, jusqu'à l'arrivée de quelques jeunes gens descendus d'une grosse BMW noire.

Même ensuite, tandis qu'il marchait sous les arcades vers l'église, le commissaire ne cessait de revoir en pensée cette expression obtuse. C'était le désarroi de celui qui est habitué à ne considérer que les choses matérielles et doit soudain se confronter à l'abstrait, à quelque chose qui n'a ni poids, ni forme, ni prix.

Face à don Firmino, il aurait voulu expliciter ce qu'il pensait, mais il se souvint qu'il était policier. Le prêtre, d'autre part, avait un air combatif, résultat des années où les « rouges » ne devaient pas lui avoir rendu la vie facile. Il était trapu et avait deux mains accoutumées davantage à la bêche qu'à l'encensoir.

« Je suis très inquiet pour Anteo, admit-il. Disparaître dans la basse plaine du Pô est impossible. Il n'y a que le fleuve pour vous cacher. Mais presque toujours il rend ce qu'il prend.

— Il ne nous reste qu'à attendre, donc ?

— Je ne sais pas, se pressa de répondre don Firmino. Je marche à l'intuition.

— Malheureusement, jusqu'à présent, c'est la seule chose que je puisse faire aussi, constata le commissaire. Je suis venu vous voir justement pour essayer de comprendre.

— Je ne sais pas si je peux vous être vraiment utile.

— Anteo vous fréquentait, dernièrement, n'est-ce pas ? »

Le prêtre se raidit à peine en affichant une posture vaguement solennelle. Il se contenta de dire « Oui », sans rien ajouter.

« Il ne me semble pas qu'il ait été particulièrement croyant. Qu'est-ce qui l'a poussé à se rapprocher de l'Église ?

— Il y a toujours un moment où l'on s'aperçoit que l'heure est venue de tirer un trait et de régler l'addition. Je crois que ce moment était arrivé pour Anteo. Il est venu me trouver la première fois en mai. J'ai été surpris, mais j'ai éprouvé de la joie, comme peut en éprouver un prêtre qui voit quelqu'un se rapprocher de l'Église.

— Sentait-il que la mort était proche ?

— Il était normal qu'il le sentît : il avait plus de quatre-vingts ans. Mais cela n'a pas d'importance. Vous savez combien de personnes meurent sans s'être repenties ?

— S'était-il repenti de la vie qu'il avait menée ?

— De ça aussi. Ceux qui traversent une guerre portent sur leurs épaules des poids dont tôt ou tard ils doivent se défaire. Et lorsque la force vient à manquer… Personne n'a traversé indemne l'époque qu'il lui a fallu vivre.

— Tonna a été fasciste… Activiste qui plus est, une Chemise noire… »

Don Firmino soupira bruyamment.

« Vous ne croyez pas que les autres…

— Mais c'est lui qui a disparu.

— Je comprends votre curiosité. Mais que vient faire ici le passé ? Plus de cinquante ans se sont écoulés.

— Comme je vous l'ai dit, je fais seulement des suppositions, je ne néglige rien.

— Il avait quelques remords, ça oui, poursuivit le prêtre, en arrachant presque cette phrase de sa bouche.

— À propos de quoi ? »

Don Firmino soupira à nouveau avant de lever les yeux jusqu'à la moitié du mur, où était accroché un crucifix.

« Pour avoir fait partie d'un corps qui s'est sali les mains à force d'atrocités. Il a évoqué aussi une maison brûlée, mais je ne sais pas de quoi il parlait. Peut-être de représailles. Ou d'une expédition punitive. Il y avait beaucoup de résistants ici. »

Soneri pensa aux brasiers qu'il avait vus durant ses innombrables années dans la police. Le fracas du feu, les étages qui s'écroulent soudain usés par les flammes et les vitres qui explosent comme des yeux s'échappant de leurs orbites. Une maison qui brûle est une offense à la mémoire.

« Vous souvenez-vous du lieu ? »

Don Firmino releva brusquement son front.

« Non, il ne me l'a pas dit.

— S'agit-il du seul fait grave dont il vous ait parlé ?

— De manière générale, il se sentait coupable des abus qui avaient été commis dans la région par les Chemises noires. »

Ils restèrent silencieux l'un devant l'autre dans la chambre au plafond bas et aux poutrelles apparentes où le prêtre recevait les fidèles le samedi après-midi. À un moment donné, don Firmino retira son tricorne et découvrit une tête presque chauve, blanche comme le ventre d'une couleuvre, sur laquelle ses quelques cheveux s'agitèrent un instant. Après les avoir apaisés en les lissant, le prêtre jeta son chapeau dans un coin du divan.

« Il se préparait à la mort ? » insista le commissaire.

Don Firmino ouvrit les bras.

« Ici les personnes âgées sont nombreuses, mais personne ne s'est comporté comme lui. Ceux qui venaient à l'église dans leur jeunesse ont continué à le faire. Ceux qui n'y ont jamais mis les pieds n'ont pas changé d'idée.

— Vous pensez que quelqu'un l'accusait d'exactions commises autrefois ? »

Le prêtre se montra à nouveau incapable de répondre.

« Je comprends votre curiosité, mais elle est différente de la mienne. Ce que moi j'ai cherché se trouvait dedans et vous, vous cherchez quelque chose qui se trouve dehors.

— Parfois il est nécessaire de chercher dedans pour comprendre ce qu'il y a dehors.

— Je peux vous dire qu'Anteo était très tourmenté, mais il avait trouvé la voie de la paix intérieure. Les dernières semaines, justement, il m'avait semblé plus serein que d'habitude. Il m'avait dit qu'il arrêterait de naviguer et que la péniche deviendrait sa maison une fois retapée. Il aimait les bateaux transformés en maisons, comme ceux qu'il avait vus à Amsterdam. Cela lui semblait même un bon compromis : il cesserait de rester des nuits entières au gouvernail, mais sans renoncer à l'eau et à la péniche.

— Il ne vous a jamais parlé de Maria ?

— Il était veuf, il a essayé de refaire sa vie. Mais elle comme lui ne sont pas du genre à se marier. Ils aiment aller chacun leur chemin à la manière des chats.

— Vous a-t-il jamais parlé, pendant vos dernières rencontres, d'un appel téléphonique ? De quelqu'un qui le cherchait en utilisant son surnom de l'époque fasciste ?

— Oui, il m'en a touché un mot.

— Il vous a semblé agité à cause de ça ?

— Non, il était serein désormais. Il sentait que sa vie

était finie. Une fois il m'a avoué qu'à son âge on pouvait mourir sans se plaindre.

— Mais il vous a semblé qu'il a pris l'appel téléphonique pour une menace ?

— Non, répondit le prêtre. Selon moi, il avait parfaitement compris qui l'avait cherché. Peut-être même a-t-il pensé que ce personnage pouvait vouloir lui faire du mal, mais il était prêt à tout. Il semblait avoir renoncé à toute précaution en s'abandonnant complètement à la volonté divine. »

Une vieille dame apparut à la porte derrière le prêtre et observa le commissaire d'un air méfiant en tournant légèrement le visage de côté. Soneri eut l'impression que, outre le fait qu'elle n'appréciait pas cette visite imprévue, elle n'aimait pas les cigares.

« La leçon de catéchisme m'attend », murmura don Firmino avec résignation.

Le commissaire salua et sortit.

Il fit un détour. Il marcha vers la digue dans une zone éloignée des habitations où se trouvaient des potagers alignés en ordre comme sur un échiquier. Une brise glaciale accompagnait le brouillard en le poussant contre le courant. Il se glissa dans une ruelle qui conduisait au chemin de halage. Le lit du fleuve était totalement enveloppé dans une grisaille qui s'assombrissait davantage au milieu des peupliers enfoncés dans l'eau quasiment jusqu'à la hauteur de leurs branches. Il alluma son cigare toscan et se mit en route vers le village. Il pensait à Anteo, tel qu'il avait été décrit par don Firmino : serein, apaisé après une vie passée à fuir. Qui sait si le transport des clandestins lui servait à remettre à neuf sa péniche et à en faire la maison où se poser ? Pas même le coup de fil ne l'avait troublé, selon le prêtre. Et pourtant cela semblait être le seul imprévu de cette vieillesse pleine de remords vaincus sur les bancs des églises, tête baissée, en présence de la statue de saint Jean entourée de cierges ardents. Et lors de ses confessions en tête à tête avec don Firmino, dans des discussions d'une demi-heure, d'une heure ou plus, peut-être. Il ne s'imaginait pas que Tonna puisse parler autant. Sans doute était-ce le prêtre qui entretenait la conversation.

Il vit les premières habitations du pays agenouillées sous la digue. Derrière le pressoir, il lui sembla entendre un clapotis rythmé de rames. Il se mit à l'écoute et il perçut de manière plus distincte qu'une barque se déplaçait au milieu des peupliers, entre la digue principale et le lit d'inondation qui émergeait maintenant en rendant les eaux mortes de ce côté-ci. Il essaya de mieux observer. Il revint sur ses pas. Il traversa l'herbe écrasée par les sacs de sable où des jets blancs pareils à de la pulpe d'oignon avaient poussé sans soleil. Le bruit de l'eau qui avait été remuée s'entendait désormais plus distinctement. Il s'accroupit au milieu des broussailles et attendit jusqu'au moment où il perçut que quelque chose se faufilait dans l'obscurité. Une silhouette naviguait sur un canot, debout avec une seule rame, à la manière d'un gondolier, en passant entre les peupliers au niveau des branchages. Un coup de rame pour donner une impulsion à la barque, puis une longue pause : ce pouvait être la posture d'un chasseur, mais ce n'était pas la bonne heure. Le commissaire se releva légèrement pour relâcher la pression sur ses jambes et c'est à cet instant qu'un faisan prit son envol bruyamment depuis la berge intérieure de la digue et commença à chanter en volant à basse altitude du côté du fleuve.

Le batelier donna deux coups de rame et poussa la barque vers un vaste bras mort, devenant invisible. Soneri resta encore à l'affût pour savoir la direction qu'il prendrait, mais il n'entendit plus rien. L'autre s'était éloigné en se cachant dans le brouillard et à présent, en alerte, il devait manœuvrer la rame sous l'eau, sous la poupe, comme une nageoire. Il avait sûrement mis la barque dans le sens du courant en se laissant patiemment entraîner. Le commissaire aurait voulu le suivre à la nage…

Soneri arriva au port. Il vit le petit drapeau du cercle nautique s'agiter à nouveau et le fanal qui servait de phare dirigé vers un épais brouillard ondoyant. La température avait encore baissé et il commençait à geler. Il boucla le dernier brandebourg de son Montgomery avant d'entendre l'*Aïda* sonner dans l'une de ses poches.

« Ton ami Alemanni s'amuse à raconter au parquet que tu n'aboutiras à rien », l'assaillit Angela.

Le nom du magistrat le fit frissonner plus que la brise glaciale qui soufflait sur la digue.

« Il m'en veut parce que je lui ai démontré que Decimo ne s'est pas suicidé.

— Il a réussi à laisser filtrer quelque chose même à l'attention des journaux. Aujourd'hui ils parlent d'une enquête dans l'impasse. »

Soneri laissa échapper une sorte de grognement et regretta de ne pas avoir annoncé le premier à la presse la nouvelle de l'homicide. Il déplorait avoir évité une humiliation au magistrat. Il parvint seulement à souffler « Salaud ! » en grinçant des dents.

« Calme-toi, dit Angela, dans quelques mois le président du tribunal l'expédiera à la retraite et il passera ses journées au centre de loisirs. Il ne lui confie même plus une simple vérification de faits. Sa dernière mission sera celle sur Tonna, fit-elle remarquer alors que Soneri maudissait ce manque de chance. Plutôt, tiens-toi prêt : un de ces jours, je vais venir te voir. Pense à comment tu vas m'accueillir. Déjà que je n'aime pas la basse plaine… et quand je fais un effort, je ne tolère pas d'être déçue. Cette péniche…

— Elle se trouve devant un cercle nautique très fréquenté.

— Tu es commissaire, non ? Donc fais en sorte de trouver la solution. »

Il l'aurait souhaité. Non pas pour conduire Angela sous le pont du bateau, en lui offrant l'émotion de faire l'amour dans un endroit insolite, mais pour comprendre qui était et que faisait le batelier solitaire du bras mort. L'homme s'exposait surtout au risque d'être intercepté par les carabiniers qui surveillaient les maisons inondées au-delà de la digue. Mais avec ce brouillard… Un batelier connaissant le Pô, personne n'aurait pu l'attraper, pas même avec une vedette. Il se sentait inquiet et tandis que la nuit enveloppait la basse plaine déjà plongée dans le brouillard, la pensée d'une autre journée sans résultat lui vint avec force. Il commençait à se dire que les doutes distillés çà et là dans les colonnes des journaux pouvaient se transformer d'un moment à l'autre en gros titres. Il voyait déjà Alemanni jubilant, écumant de rage vindicative, quitter la profession en savourant son triomphe.

La mauvaise humeur l'accompagna jusque sous les arcades et ne le lâcha même pas devant la porte du Sourd. La faim le tourmentait depuis maintenant plusieurs heures et le plat habituel de jambon blanc agrémenté de fortanina ne lui suffirait pas. Il y avait encore quelques clients, et les notes étouffées d'un *Otello* aussi noir que le lambrusco semblaient s'élever de la cave.

Il s'assit devant le Christ aux jambes repliées et posa ses coudes en baissant légèrement la tête dans une attitude de quasi-dévotion. Il revoyait encore l'image du batelier et il était si concentré qu'il n'entendit pas le Sourd. Il le regarda alors par en dessous. Il avait d'énormes avant-bras velus que découvraient ses manches retroussées et il portait un gilet qui peinait à contenir son ventre. Son visage était dominé par de grandes lèvres et par un regard d'où émanait une sorte de mystérieuse malice. Ce soir-là aussi son appareil acoustique était débranché. Soneri, alors, prit le menu et lui indiqua les pâtes « mal coupées » aux haricots.

Lorsque Barigazzi arriva, presque toutes les tables s'étaient remplies de gens jouant aux cartes. Le vieil homme portait encore ses bottes de travail et une sorte de manteau assez court, comme ceux que vêtent les ouvriers manœuvrant la brouette.

« Vous avez bien choisi, le félicita-t-il en indiquant les pâtes aux haricots.

— J'ai du flair pour la nourriture. Plus que pour les enquêtes.

— Il faut de la patience, le consola le vieil homme.

Ce n'est pas un don très répandu. Aujourd'hui tout le monde est pressé.

— Si ce n'était qu'une question de patience... Ici, vous êtes convaincus que Tonna y a laissé sa peau, mais personne ne sait dire comment ni pourquoi.

— Vous pensez qu'il existe une autre solution ?

— Peut-être pas. Mais quelqu'un sait et se tait.

— Tonna n'avait pas beaucoup de relations avec les villageois... Personne ne pouvait le sentir.

— Sauf don Firmino et Maria des sables. Elle vous en veut, l'informa le commissaire, parce que vous avez détruit son îlot.

— Vous croyez qu'on ne le sait pas ! dit Barigazzi d'une voix catarrheuse. C'était une espionne des fascistes et elle a fait fusiller deux compatriotes. Et puis elle en a emmerdé plus d'un en surveillant qui traversait le Pô. Nous aurions dû la noyer, conclut-il en faisant un geste en direction du Sourd avec son gros pouce.

— De qui les fascistes ont-ils brûlé la maison ? »

Barigazzi le scruta en faisant glisser son chapeau vers l'arrière.

« Par ici ils n'ont rien brûlé, répondit-il enfin.

— Et sur la rive lombarde ?

— Je ne sais pas. On ne s'inquiète pas des incendies quand un fleuve nous en sépare. »

Il leva son verre de lambrusco aussi sombre que du boudin. Le commissaire en fit autant et, lorsque tous deux eurent posé leur verre, il demanda :

« Il y a eu des vols dans les maisons inondées ?

— On le saura lorsque les eaux baisseront. Mais je crois qu'il n'y a pas grand-chose à voler.

— Ce soir j'ai vu une barque dans la peupleraie, dans le bras mort situé après le pressoir. »

Barigazzi eut une expression perplexe. Et lorsque Soneri se mit à le fixer, il s'efforça d'apparaître tranquille.

« Quelqu'un a gardé la bonne habitude d'aller à la chasse. Après la crue, les berges grouillent d'insectes qui attirent les faisans et les perdrix.

— Il y avait bien un faisan, mais le chasseur s'est enfui dès que j'ai provoqué son envol. »

Son interlocuteur se tut. Puis il changea de conversation.

« Que vous a raconté cette bête sauvage ? demanda-t-il en se référant à Maria.

— Que, par le truchement de la coopérative, vous avez obtenu l'autorisation de creuser le sable dans le seul but d'orienter le courant en faisant en sorte qu'il érode l'îlot. Et que, lorsqu'elle a quitté sa petite patrie, vous l'avez obligée à passer devant vous alors que vous chantiez *Bandiera rossa*.

— Ce furent des moments inoubliables, comme lorsque, après la guerre, nous lui avons rasé la tête, exulta Barigazzi, qui semblait encore respirer la vengeance.

— Elle et Anteo vivaient comme mari et femme ?

— Deux gros fachos. Elle pire que lui. »

L'*Otello* avait augmenté en volume, couvrant de plus en plus souvent le brouhaha de la salle.

« Je ne crois pas qu'il s'agissait d'un chasseur, dit Soneri en revenant sur le sujet qui lui tenait le plus à cœur.

— Qui peut bien se promener dans les lits d'inondation, la nuit, en cette saison ? rétorqua Barigazzi.

C'était sûrement quelqu'un qui revenait jeter un coup d'œil à sa maison. Il y a ceux qui attachent leur barque au grillage et déménagent dans le grenier : l'eau n'est pas arrivée jusque là.

— Il n'aurait pas fui. »

Le vieil homme resta silencieux. Le verre disparaissait dans son énorme main de rameur.

« Sur le Pô, il y a des gens farouches. On se tient à distance de tout le monde comme les bêtes dans les bois. Le seul moment de proximité est lorsqu'on se croise, mais on va dans des directions opposées », répliqua-t-il sans grande conviction.

Le commissaire eut l'impression que même Barigazzi était intrigué par cet épisode. Il fut sur le point de prendre son portable et d'appeler l'adjudant Aricò, mais il changea aussitôt d'idée. Il ferait le guet tout seul, il s'en était persuadé en regardant le visage du vieil homme sur lequel on pouvait encore distinguer une sorte d'ébahissement.

« Ne soyez pas trop enthousiaste, lui suggéra Barigazzi en essayant de masquer son embarras, peu à peu, avec le gel, les eaux décantent et s'éclaircissent. Alors tout sera limpide. »

Ce n'était pas la première fois qu'il entendait un tel discours, mais le vieil homme avait prononcé ces mots avec une sorte de rictus, en retroussant ses moustaches à la manière d'un grand-père qui joue avec ses petits-enfants.

Comme lorsqu'il aurait voulu se jeter dans le lit d'inondation pour se lancer à la poursuite du batelier, comme quelques secondes auparavant, lorsqu'il aurait voulu téléphoner à Aricò, il sentait à nouveau à présent l'instinct faire pression sur lui pour l'emporter sur sa capacité à se contrôler. Céder à l'instinct signifiait prendre Barigazzi par le col et le secouer. Du temps où il était un jeune inspecteur, il aurait bondi sur lui pour le menacer. Il n'avait pas l'air vraiment sympathique dans ces moments-là. Mais désormais il avait appris à garder son calme. À encaisser en silence pour ne pas révéler ses intentions. Il ne savait pas si c'était un résultat de l'expérience ou une lâcheté de la maturité. Il avait décidé que sur ce sujet il valait mieux suspendre toute enquête. Le volume de l'*Otello* et celui des clameurs montaient à l'unisson. L'atmosphère s'était réchauffée et à la deuxième bouteille quelqu'un avait commencé à se sentir guilleret. De temps à autre, un client se levait et accompagnait le ténor en entonnant le début d'une romance tant qu'il avait du souffle. On disait que le Sourd gardait exprès son appareil débranché pour ne pas entendre les voix des grands chanteurs continuellement couvertes par des ténors de quatre sous en proie aux effets du vin. Cela faisait trente ans qu'il les écoutait. À l'apogée de l'*Otello* retentirent d'autres fausses notes : celles de l'*Aïda* du portable.

« Où êtes-vous, au théâtre? demanda naïvement Juvara.

— À ton avis, je peux être au théâtre?

— J'entends de la musique…

— Je mange dans une auberge où on apprécie l'opéra, répondit Soneri avec agacement, en ayant des doutes sur les capacités de Juvara à distinguer opéra de chants grégoriens.

— Commissaire, nous n'arrivons pas à déchiffrer le rébus.

— Tu parles du billet trouvé chez Tonna ?

— Oui, du billet. La seule chose dont nous soyons certains, c'est qu'il s'agit d'un cimetière. Il n'y a rien d'autre qui soit divisé en rangées, carrés et sections.

— En effet, Decimo a fini par mourir…

— L'ennui, c'est que même les petits cimetières ont ce type de subdivisions et, dans la basse plaine, il y en a des centaines.

— Comment vous y prenez-vous ?

— On les passe tous en revue. J'entends ceux de la province sur les berges du Pô.

— Et jusqu'à présent rien ne correspond ?

— Pratiquement rien, juste des morts décédés il y a plusieurs années et n'ayant aucun lien avec Tonna.

— Malheureusement, c'est la seule méthode que nous ayons, l'interrompit Soneri.

— Malheureusement », soupira Juvara avant de raccrocher.

7

Alors qu'il était assis au volant, devant l'auberge *Italia*, dont le rideau de fer était déjà baissé, il entendit en provenance du fleuve le cri strident d'une chouette. Il se remémora avoir entendu que les chouettes appellent les morts. Il monta sur la digue. Manifestement, l'oiseau était quelque part parmi les peupliers et chantait vers la lumière du fanal du cercle nautique. Une lumière, atténuée par le brouillard, qui pouvait ressembler à celle d'une veillée ou d'une rosace. Il imagina que la chouette chantait pour les vies sacrifiées pour le fleuve. Peut-être même pour Tonna, qui pouvait se trouver quelque part sous l'eau, dans les bancs de sable ou dans les bas-fonds fangeux d'un bras mort.

Le brouillard s'était levé en se diluant à peine dans l'opacité tenace de cette nuit d'automne. Et en parcourant la route menant à la ville, Soneri continuait à se représenter cette dernière image du village endormi, opprimé par l'obscurité sous l'ombre allongée de la digue. Et puis ce cri de chouette aussi menaçant que la mise en garde d'un prédicateur, solennel et sinistre au milieu du silence. « Lorsque les eaux se retireront, tout s'éclaircira », avait dit Barigazzi en tordant ses moustaches comme s'il avait eu sous le nez un ver poilu. Est-ce que cela signifiait que c'était juste une question de temps ? Savait-il quelque chose ou bien s'en remettait-il à son expérience ?

Soneri rentra chez lui habité par ce doute. Qui ne l'abandonna pas même lorsque, dans la pénombre face à la fenêtre donnant sur la rue, il laissa son esprit réfléchir librement à tout ce qui affleurait du mélange des sensations perçues pendant la journée. De temps en temps, comme dans le bouillonnement à feu doux d'un plat mijoté, la solidité d'une pensée achevée remontait à la surface à la manière du lait caillé. Quand les bras morts et les lits d'inondation allaient-ils se vider ? « Un mois s'il gèle ou moins si les pompes de drainage sont mises en route », avait déclaré Barigazzi. Soneri ignorait pourquoi, mais il attendait de cette sorte de dévoilement quelque chose de nouveau. Il trouva le sommeil en s'accrochant à cet espoir.

Il fut réveillé par son portable, qu'il avait oublié d'éteindre la veille au soir. Il ne supportait pas les bruits au réveil. Il ne supportait rien. Pas même de se retrouver près d'une femme qui le touche et lui parle. Chaque réveil était comme une nouvelle naissance. Et en son for intérieur, il hurlait comme un nouveau-né arraché au ventre de sa mère. Sans doute était-ce pour cette raison qu'il prit Nanetti pour une sage-femme à la main leste.

« À moi, l'humidité fait mal aux articulations, à toi, au caractère », fit remarquer ce dernier après avoir entendu son grognement.

Soneri ne répondit pas et son collègue en profita pour poursuivre.

« J'ai les premiers résultats des examens sur la péniche et peut-être pourront-ils te servir pour tenter de comprendre ce qui a pu se passer cette nuit-là.

— Minable avec les passerelles, imbattable avec les microscopes, dit Soneri en essayant de corriger son manque de cordialité.

— Essaie plutôt d'empêcher Alemanni de défiler tous les jours dans les journaux : il distille du pessimisme à chaque déclaration, en nous faisant porter à l'avance le chapeau d'un éventuel fiasco.

— Mieux vaut parler des indices, l'interrompit le commissaire, à nouveau de mauvaise humeur.

— Je peux te dire avec certitude que quelqu'un était à bord de la péniche pendant le dernier voyage à Luzzara. Et ce n'était pas le capitaine. Quelqu'un qui a superposé ses empreintes à celles, plus anciennes, d'Anteo Tonna.

— Une seule personne ?

— Oui. Un homme grand et robuste à en juger par les chaussures qu'il porte et par son poids, que l'on peut déduire des traces de pas trouvées dans la partie inférieure du pont. Les mêmes traces que celles relevées sur le pont, dans la zone entourant l'endroit où était arrimé le canot de sauvetage.

— Et les empreintes de Tonna sont toutes plus anciennes ?

— Oui, le dernier visiteur de la cabine de pilotage n'a pas été Anteo. Aucune trace de lui n'apparaît en même temps que celles de l'autre individu. Il n'y a aucun doute là-dessus », ajouta Nanetti.

Cela signifiait que si Tonna avait été tué, le crime avait été commis hors de la péniche et l'assassin, ou un complice, avait ensuite simulé le départ du batelier en allant planter le bateau dans la digue de Luzzara. C'était un premier noyau de certitudes autour duquel il était possible d'organiser les faits.

« J'espère que tout cela pourra t'être utile pour valider une hypothèse parmi les mille autres que tu as en tête, conclut Nanetti.

— Bien sûr, répondit Soneri, maintenant je sais que je peux en écarter cinq cents et que cinq cents autres pourraient convenir. »

Il avait dormi plus que d'habitude et alors qu'il buvait en toute hâte son café au lait, en constatant que l'atmosphère silencieuse de l'aube s'était déjà évanouie, la pensée d'Alemanni augmenta son angoisse. De la rue arrivait une lumière cendrée, ainsi que le brouhaha de la circulation. Il marcha vers la préfecture de police en broyant du noir. Il se sentait comme un moteur grippé.

Juvara travaillait déjà dans son bureau avec l'aide de deux assistants : ils épluchaient une liste et ils téléphonaient.

« Tu as trouvé quelque chose ? »

L'inspecteur secoua la tête.

« À Crémone, à l'endroit de la sépulture indiquée par le billet, il y a un homme décédé en 1986. J'ai fait une enquête, mais il apparaît qu'il n'a rien à voir avec les Tonna. À Pomponesco… »

Soneri, d'un geste, lui coupa la parole. Ensuite, toutefois, il ne dit rien : il alluma son cigare et s'adossa contre le montant de la porte. De quel cimetière pouvait-il bien s'agir ? Et puis s'agissait-il vraiment d'un cimetière ?

Son portable l'arracha à nouveau brusquement à ses pensées.

« Allô ? s'écria-t-il sur un ton déplaisant.

— Un doberman serait plus gentil.

— C'est toi, Angela ? demanda le commissaire en essayant de se radoucir.

— Oui, tu te souviens ? Angela…

— Ne sois pas ironique, ce n'est pas le moment, grommela-t-il.

— Et toi, cher policier, ne joue pas les durs. Je ne suis pas le genre de femmes qui se laisse maltraiter, répliqua-t-elle d'un ton râleur. Ou bien tu connais d'autres Angela qui se font insulter ?

— Et toi combien as-tu d'anges qui voltigent autour de toi ?

— Si tu continues, c'est toi que je vais envoyer aux anges. »

Soneri demeura silencieux quelques instants, comme si on lui avait décoché un uppercut. Il ne se rappelait pas où il avait entendu parler d'anges.

« Coucou ! Il y a quelqu'un ? Tu as pris peur dès que j'ai haussé le ton ? »

Il cherchait le silence pour se concentrer, mais Angela ne lui laissait aucun répit, continuant à jacasser dans ses oreilles. Alors, il éloigna le téléphone. Il entendait une petite voix bourdonner de manière inoffensive comme une abeille à l'intérieur d'une tulipe tandis qu'il se demandait où il avait bien pu entendre parler d'anges. Dans la cour, une collègue plutôt ronde passa avec la blouse blanche de la police scientifique et c'est alors qu'il se souvint : l'infirmière en chef, l'amie de Decimo. C'était à elle que celui-ci avait dit qu'il irait « aux anges ».

Il reprit son portable. « Où sont les Anges ? » demanda-t-il avec un tel sérieux que sa compagne lui répondit comme si de rien n'était : « À Mantoue. C'est l'endroit où se trouve le cimetière ».

Il avait oublié qu'Angela était de Mantoue. Et puis, tout à coup, il lui dit : « Tu es la plus précieuse des femmes », en mettant fin à la conversation.

Juvara le vit euphorique.

« Tu peux tout arrêter, lui annonça Soneri, j'ai trouvé le cimetière. »

L'inspecteur le regarda avec étonnement, sans comprendre, puis il posa les papiers et fit un signe du menton aux deux assistants, qui se levèrent. Mais avant qu'il puisse demander des explications, son supérieur avait déjà disparu.

Quelques minutes plus tard, il conduisait sur la route menant à la basse plaine, où les maisons émergeaient lentement du brouillard en se dévoilant comme dans une enquête. Il constata que ses recherches le conduisaient toutes vers le Pô, sur cette terre plate où l'on ne voyait jamais le ciel. Et il ne croyait pas trop aux coïncidences.

Mantoue lui apparaissait chaque fois comme une terre émergeant d'un vaste marécage. D'après une rumeur, là les tombes ne dépassaient pas un mètre de profondeur pour ne pas ensevelir les morts dans l'eau. D'autre part, cela lui semblait assez paradoxal que, avec toute cette plaine à disposition, on entasse les défunts les uns sur les autres comme les meules de parmesan.

Il demanda des renseignements sur la section San Pellegrino. Il s'agissait d'une aile abandonnée récemment, ornée de marbres encore luisants et de cascades de fausses fleurs. Il pensa que, alors même que son métier le mettait souvent en relation avec les morts, c'était la première fois qu'il enquêtait dans un cimetière. Il devait s'occuper de l'aspect le plus cruel de la mort, jamais de son apparence apaisée et silencieuse. Les cadavres criaient toujours dans leurs poses désarticulées. Et un commissaire était appelé à exercer la vengeance de la loi. Une fois les affaires classées, il n'avait jamais eu l'occasion d'aller voir ce qu'étaient devenues les victimes, celles dont il avait fouillé la vie avec la méticulosité irrespectueuse des enquêteurs.

Lorsqu'il arriva devant la stèle en marbre poli sans noms ni dates, il hésita entre la stupéfaction et la déception, comme la fois où il avait dû tirer et que son pistolet s'était enrayé. Il avait trouvé une sépulture vide. Et près d'elle, une autre identique. Il contrôla à nouveau le carré E, la troisième rangée, le numéro 32 : le jeu de mots croisés avec les morts le conduisait toujours au même résultat, dans cet endroit vacant de l'au-delà. Puis il regarda à côté et devina la solution comme on devine un mot à partir de ses initiales. Il y avait la photo d'une femme à l'allure sévère : « Desolina Tonna veuve Magnani ». Et au-dessous : « Ton époux, ta fille et tes frères. »

Il franchit la porte de la direction juste avant la fermeture. L'employé au guichet des renseignements était assis devant l'écran d'un ordinateur sur lequel le commissaire vit, en jetant un regard oblique, un jeu électronique. C'est là que l'on pouvait demander où résidaient les morts. Mais ceux que Soneri cherchait ne résidaient peut-être pas encore dans le cimetière. Pas pour longtemps, probablement.

« Je voudrais savoir à qui appartiennent les sépultures 32 et 33 du carré E, troisième rangée, section San Pellegrino. »

Il savait que l'employé invoquerait des raisons de sécurité pour rejeter cette demande. C'est pourquoi, avant que l'homme ne puisse répliquer, il montra sa carte de police.

L'homme sembla ravaler les mots qu'il allait prononcer et se mit à taper sur le clavier.

« Le numéro 32 a été acheté par Decimo Tonna, le 33, par Anteo Tonna. »

C'était tout ce qu'il voulait savoir.

Il ne retourna pas à la préfecture. Dès qu'il eut passé le Pô, sur le pont de Casalmaggiore, il tourna vers la route qui longeait le cours du fleuve sur la rive émilienne. Et au moment où il descendit de voiture, Juvara l'appela sur son portable.

« Le mot était une menace, dit-il à son assistant. C'est la raison pour laquelle Decimo avait si peur.

— Pourquoi ?

— Ça correspond à l'une des sépultures que les Tonna avaient achetées il y a plusieurs années près de celle de leur sœur. Pigé ?

— C'est très clair. L'assassin était bien informé sur leur vie.

— Ce doit être quelqu'un du coin.

— Mais comment avez-vous fait pour comprendre qu'il s'agissait du cimetière de Mantoue ?

— Oh ! marmonna Soneri de manière évasive, c'est grâce aux anges... On l'appelle comme ça par ici... »

Juvara ne comprit rien, mais le soulagement de pouvoir classer un travail ennuyeux lui suffisait.

Au bar du village, la nièce des Tonna n'était pas là. Il se retrouva face à un grand garçon aux cheveux longs et portant une boucle d'oreille.

« Est-ce que je me trompe ou vous êtes bien le loup de fleuve raté ? »

Le jeune homme le regarda d'un air hébété, puis il répondit :

« Ça ne me plaisait pas, j'ai laissé tomber. »

Il n'avait pas l'air intelligent, il devait avoir pris de sa mère.

« Elle n'est pas là...

— Non, elle est allée en ville. »

Le jeune homme le coupa avec une telle hâte que cela équivalait à une fin de non-recevoir.

Bien qu'il n'eût pas de question particulière à poser, Soneri décida de rester. Les forts en gueule ne lui avaient jamais plu, mais ils l'amusaient énormément.

« Tu n'aimais vraiment pas la vie sur le fleuve ? demanda-t-il, en déclassant le garçon du vous à un tu confidentiel.

— Non. Un peu au début, mais après... » répondit-il en le regardant agacé.

Près des murs du bar, de dos, une douzaine de jeunes gens étaient assis et chacun avait le regard perdu dans un jeu vidéo. Celui avec lequel il essayait de parler n'était pas très différent des autres.

« Comment t'appelles-tu ?

— Romano. »

Les noms fascistes étaient de toute évidence une tradition dans la famille. Mais ces cheveux longs et la boucle d'oreille ne devaient certainement pas être appréciés par quelqu'un comme Anteo.

« Tu n'aimais pas cette vie ou tu n'aimais pas ton oncle ?

— Je ne suis pas fait pour rester seul. Et puis le fleuve est toujours pareil.

— Mais vous chargiez beaucoup, fit remarquer le commissaire. J'ai jeté un coup d'œil au journal de bord… Vous ne deviez pas être à court d'argent. »

Romano lui lança un regard rapide et nerveux. On aurait dit un petit écolier ne sachant pas répondre à une interrogation.

« La péniche est très vieille et n'aurait pas pu continuer longtemps. Le moteur bouffe l'huile et il fallait souvent faire des révisions… Ça ne pouvait pas durer, même si mon oncle… »

Soneri crut percevoir une très légère impatience. Il regarda au-dehors et il vit qu'étaient garées de grosses voitures métallisées : l'image de l'opulence qui avait envahi la basse plaine comme une inondation.

« Tu as déjà remarqué si ton oncle avait reçu des menaces ? Par exemple pour des problèmes d'argent ? insista-t-il.

— Il n'avait de rapports qu'avec les clients. Il n'avait même pas de concurrents parce que, par les temps qui courent et vu le peu de ports fluviaux, il est bien plus intéressant de transporter la marchandise par camion. Il ne se rendait pas compte qu'il était hors du coup.

— C'est à cause de ça que tu as laissé tomber ?

— Aussi. Qui mise aujourd'hui sur les péniches ? C'est dépassé. Mon oncle avait plus de quatre-vingts ans.

— Tu as essayé de le convaincre de regagner la terre ferme ?

— Ma mère me l'a demandé plusieurs fois, mais il se fâchait. Il disait que c'était toute sa vie et que ça lui plaisait comme ça. Après quelque temps, je l'ai quitté : je n'allais quand même pas pourrir au milieu d'un fleuve. Le Pô ne m'intéresse pas et ne me plaît pas non plus, ce n'est qu'une menace. Et puis toutes ces histoires sur ses légendes et sa beauté... Les jeunes d'ici en ont marre de ce bla-bla et ils s'en vont.

— Tu partiras toi aussi ?

— Tant que le bar marche, non. J'ai essayé de le moderniser avec des choses qui plaisent aux jeunes de mon âge, dit-il en détournant son regard vers les jeux vidéo dont provenaient de faibles lueurs et une petite musique. Dans ce village, il n'y avait que la belote à l'auberge *Italia* et le fortanina chez le Sourd, où on écoute toujours les quatre mêmes pleurnicheries de Verdi. »

Soneri entendait le bruit de fond produit par la musique agaçante et répétitive des jeux vidéo.

« Tu connais Barigazzi, Ghezzi et les autres ? »

Romano fit une grimace pleine de dégoût.

« Communistes de merde ! siffla-t-il.

— Au moins sur ce point tu es d'accord avec ton oncle, constata le commissaire.

— C'est des losers qui ne pensent qu'à faire payer des impôts et à mettre des bâtons dans les roues à ceux qui réussissent. À les écouter, on devrait encore naviguer avec de vieux chalands. Ils nous détestent parce que nous possédons quelque chose. Nous par exemple, ils nous appellent boutiquiers. Ils sont remplis de compassion, par contre, pour tous ces étrangers minables qui arrivent ici et se mettent à voler. Mon oncle a toujours été de l'autre bord. Il avait une péniche, lui : il y a plusieurs années, il pouvait passer pour un patron. »

C'étaient les seules phrases que Romano avait prononcées spontanément. Elles étaient sorties d'un seul jet, comme un rot qu'on ne peut retenir. Et elles devaient avoir été ruminées longuement dans un esprit peu entraîné aux raisonnements.

Soneri se leva. Tout lui semblait très clair, mais cela n'avait pas grand-chose à voir avec son enquête. Il marcha alors vers la digue jusqu'à ce que, après avoir laissé derrière lui les arcades, il entendît le bruit des pompes de drainage.

Barigazzi l'informa que les pompes travaillaient depuis deux heures environ. Elles étaient arrivées de Parme dans la matinée et il avait fallu un peu de temps pour les placer sur la ligne de flottaison.

« Un travail fait pour du beurre », dit-il en guise de commentaire.

Le bruit rauque des diesels ébranlait les bras morts et faisait s'élever une colonne de fumée. Sur un côté, Soneri aperçut Aricò qui parlait de manière animée avec une vingtaine de personnes.

« Qui est-ce ? demanda-t-il.

— Les gens évacués dont les maisons se trouvent dans les lits d'inondation, répondit Barigazzi. C'est pour eux qu'ils ont mis sur pied toute cette pagaille, mais si on n'élève pas une digue perpendiculairement à l'entrée du port, ils ne videront que dalle. On n'a jamais vu une pompe de drainage vider le Pô. »

Vernizzi arriva et dit que le bateau dragueur et les pelles mécaniques étaient sur le point de fermer transversalement le lit d'inondation. Barigazzi cracha dans l'herbe pour seul commentaire.

« Ils veulent rentrer chez eux, affirma le commissaire.

— Ils pensent qu'en enlevant l'eau ils résoudront le problème. Le gel fendra leurs murs imprégnés d'eau. Et en hiver, les maisons ne sèchent pas ici, dans la basse plaine.

— Vous ne feriez pas la même chose ?

— Si vous achetez une maison dans le lit d'inondation, il faut prévoir que tout ne se passera pas toujours bien. Tôt ou tard, le Pô vient vous rendre visite. »

Aricò était en sueur. Il avait fait glisser son képi vers l'arrière en découvrant son front moite. La foule qui l'assiégeait lui avait concédé une trêve, apaisée par le travail des pompes de drainage. Les riverains évacués étaient montés sur la digue et, en rang, ils observaient l'eau aspirée par litres et rejetée dans le lit du fleuve. Soneri aussi rejoignit le chemin de halage, en marchant jusqu'à laisser derrière lui le centre du village. Il atteignit l'endroit de la veille au soir et il se tapit dans les branchages malmenés par le courant. Au niveau de la moitié de la digue, vers l'intérieur, d'où l'on pouvait observer la peupleraie plongée dans l'eau.

Dans cette quiétude, le bras mort ressemblait à une énorme marmite d'où commençait à monter une vapeur légère en minces filaments, invisibles, tels ceux utilisés pour la pêche au barbeau. Les peupliers canadiens accentuaient la rapidité du coucher de soleil automnal. Il attendit accroupi sur les talons en remettant dans sa bouche son cigare éteint. Puis il l'alluma, mais il tourna la braise vers l'intérieur, comme faisait son grand-père au front. Il prenait des précautions de guérilla, bien qu'il n'attendît pas un navire avec des canons : rien qu'un canot solitaire dans une langue de fleuve abandonnée. La lumière s'affaiblit encore avec une rapidité pareille à celle du brouillard qui montait. Il lui semblait que c'était l'heure juste.

Soneri l'entendit avant de le voir. Il perçut un léger clapotis, comme lorsqu'on verse l'eau d'un seau sur du gravier. Puis il aperçut le profil du batelier qui naviguait par battements lents et espacés, rythmés par une longue habitude à manier la rame. Il s'agissait forcément du même homme que le soir précédent. Et s'il revenait, cela signifiait que la première fois il ne s'était rendu compte de rien. Le commissaire le laissa s'approcher jusqu'à ce que la barque fût placée parallèlement au pressoir. Encore quelques coups de rame et il serait à portée de voix. Peut-être pourrait-il aussi le regarder en face. Mais, contre toute attente, l'homme passa la rame de l'autre côté de la barque et changea de direction. Il sembla à Soneri qu'il voulait faire demi-tour, même s'il se dirigeait seulement vers le centre de la peupleraie. Les troncs émergeaient avec une régularité géométrique, en rangs serrés et en diagonale, nivelant toute cette eau entre les deux digues.

Le commissaire gardait les yeux rivés sur le batelier, qui donnait l'impression de tournoyer lentement à la manière des buses pendant les chauds après-midi d'été. Tout à coup, il appuya la rame contre un tronc pour arrêter le canot, qui resta à sa place en tanguant à peine. Il semblait regarder au travers des eaux décantées dans l'immobilité qui avait fait suite à l'absence de courant. Alors Soneri aussi observa et vit que la stagnation avait délavé leur couleur ferreuse en les libérant des dépôts sableux.

L'homme repassa la rame du côté droit et repartit. Il se dirigeait à nouveau vers la berge où se trouvait le commissaire. Et lorsqu'il fut à une dizaine de mètres, Soneri se mit debout et émit un cri en sa direction. L'homme tourna brusquement la tête, mais le reste de son corps resta immobile. L'embarcation vibra légèrement, sans perdre toutefois son équilibre. Soneri eut la sensation que, pendant quelques instants, le batelier hésitait entre la fuite et l'accostage. Quand il se rendit compte qu'il était assez près pour pouvoir être reconnu, il donna quelques coups de rame énergiques en dirigeant le bateau vers la digue principale. Le commissaire descendit d'une demi-douzaine de pas dans la boue, en mettant les pieds de travers pour ne pas glisser dans le fleuve. L'autre accosta plus près encore jusqu'à toucher l'herbe.

Il ne dit rien et fit seulement un geste interrogatif du menton. Il était âgé, mais encore plein d'énergie et de fierté. Ses mains énormes rappelaient à Soneri celles de Barigazzi, dans lesquelles les verres disparaissaient. À présent il l'observait depuis la carène du canot de ses yeux gris perçants, dans lesquels on voyait transparaître un regard de défi.

« Quelle heure étrange pour naviguer entre les digues, attaqua Soneri.

— Toutes les heures sont bonnes, il suffit de savoir où aller.

— Et vous, où allez-vous ?

— Je surveille le rendement des pompes de drainage. J'ai placé les piquets.

— Elle a baissé ? fit alors le commissaire en faisant allusion à l'eau.

— De cinq centimètres : c'est négligeable. Mais le courant continue à entrer depuis le barrage situé avant le port. Ils doivent le réparer.

— Où amarrez-vous votre barque ?

— Au port, où voulez-vous que j'aille dans ces eaux basses ?

— Ça vous va si on se donne rendez-vous chez le Sourd ? »

L'homme réfléchit un instant alors que l'obscurité atténuait la lumière vive de son regard.

« Non, pas chez le Sourd. Je préfère que nous nous voyions à l'auberge *Italia* dans une demi-heure.

— Vous y arriverez ?

— Écoutez, monsieur le policier, le Pô, je le connais mieux que vous ne connaissez la préfecture. »

Dans l'unique grande pièce de l'établissement, on se sentait comme dans un réfectoire. Les vociférations, la fumée et la foule rendaient une rencontre dans ces lieux paradoxalement discrète. Il y avait trop à voir et trop à entendre pour pouvoir remarquer quelque chose. Le commissaire arriva et occupa l'une des rares tables libres, pas plus grande qu'une lucarne. Seulement après s'être assis, il nota que l'homme l'attendait au comptoir, où il avait déjà commandé un verre de vin blanc. Le batelier le vit également, et il se dirigea aussitôt vers lui, suivi par un autre type, qui semblait être un collègue. Lorsqu'ils arrivèrent à la table, Soneri les toisa comme il se doit, puis il leur fit signe de s'asseoir.

« C'est mon avocat », dit le batelier en indiquant l'homme qui l'accompagnait.

Soneri observa sa stature et sa peau ridée par le soleil du Pô. Il n'avait pas vraiment l'air d'un avocat.

« Comment savez-vous que je suis policier ?

— On vous reconnaît entre mille, expliqua l'homme. J'ai l'habitude des flics. »

L'autre se présenta en tendant une main aussi large qu'une pelle.

« Fereoli Arnaldo. Mais ici tout le monde m'appelle Vaeven.

— Vous avez une péniche vous aussi.

— Une Magana. »

Le commissaire se tourna alors vers le batelier qui, sans lui tendre la main, se contenta de dire :

« Melegari Dino. Dinon pour les gens du village. »

Melegari était un homme monumental. Alors qu'il était dans la barque, Soneri n'avait pas évalué avec précision sa corpulence, mais, à présent qu'il lui faisait face, il paraissait aussi grand que les statues d'Hercule et d'Antée situées derrière la municipalité.

« Un peu de vin ? proposa le commissaire.

— On ne refuse jamais un verre de vin. »

Ils furent servis par une jeune fille silencieuse et sérieuse qui semblait avoir à peine fini ses devoirs.

« Vous pensez qu'elles sont utiles ? » demanda Soneri, en faisant référence aux pompes de drainage qui ronflaient au-delà de la digue.

Dinon écarta ses grandes mains jusqu'à presque toucher les clients voisins, donnant l'impression que, s'il les avait fermées d'un coup, il aurait pu aplatir la table.

« L'eau dans le lit d'inondation est basse et elle s'écoule. Ils devaient faire taire les habitants évacués.

— Combien d'eau reste-t-il encore ?

— Vous ne voyez pas les peupliers ? Deux mètres environ. »

Vaeven avait retroussé la manche de son pull-over en découvrant son avant-bras sur lequel le commissaire put discerner une faucille et un marteau tatoués. C'est alors naturellement qu'il demanda :

« Vous connaissiez Tonna ? »

Les deux se lancèrent un regard comme si on se moquait d'eux.

« De nom.

— À cause du fascisme ou comme batelier ?

— Et pour quoi selon vous ? répondit Dinon en relevant d'un coup de doigts la visière de sa casquette de style irlandais. Vous croyez que ça ne suffit pas ?

— Je sais qu'il a laissé de mauvais souvenirs.

— Quelques veuves et quelques orphelins, répondit avec sarcasme le batelier. Mais aujourd'hui… Les gens ont la mémoire courte.

— Vous, en revanche, vous avez une bonne mémoire.

— Nous sommes assez vieux pour l'avoir connu, expliqua Dinon.

— Je crois que les choses ont mal tourné pour lui, dit Soneri.

— Il est peut-être parti le moteur éteint en mettant à profit le vent du sud-ouest et la péniche a échappé à son contrôle, puis elle s'est enlisée dans la digue. Après il a dû avoir honte : sa réputation de grand navigateur était la seule qui lui restait.

— Il n'avait plus que sa péniche… expliqua Vaeven. Il n'aurait pas pu accepter l'idée d'avoir commis une erreur de débutant. »

Soneri réfléchit pendant quelques instants, en sirotant son malvasia. Il n'avait pas pensé à l'hypothèse d'une fugue causée par la honte. Ce pouvait être plausible aussi. Après tout, sans doute, c'était une porte de sortie qu'il cherchait. Mais si tel avait été le cas, lui, le commissaire, que faisait-il sur le Pô, à courir derrière un fantôme en négligeant un véritable crime commis en ville ? Devant ses yeux s'afficha l'image narquoise d'Alemanni, le visage ayant les traits d'une tête de mort aux rares cheveux blancs, fins comme des poils récalcitrants.

« Qui était Nibbio ? » demanda-t-il alors en sortant de ces sombres pensées.

Les deux se regardèrent.

« Hé, on n'est pas au commissariat, protesta Dinon. Dites-nous ce que vous attendez de nous et on gagnera du temps. »

Il s'était remis à le scruter de son regard clair, perçant.

Soneri prit le temps d'allumer son cigare. Il voulait laisser retomber l'animosité qui s'était accumulée.

« Je vous l'ai dit, je soupçonne que Tonna est mort. Son frère a déjà été éliminé.

— Quel rapport avec ce "Nibbio" ?

— Dans la péniche de Tonna, nous avons trouvé un mot parlant d'une décision le concernant.

— Ce devait être un résistant. Mais il y en avait de toutes les races, hasarda Vaeven.

— Si c'était le cas, vous l'auriez connu, affirma le commissaire.

— Nous n'étions pas ici. On nous connaissait trop bien et on nous aurait repérés tout de suite. En 1943, on est allé sur le mont Caio.

— Vous n'avez jamais entendu parler de ce "Nibbio" ?

— Ici, répondit Dinon d'un ton péremptoire, on en a vu passer un paquet, des dissidents et des communistes. Ils venaient de Lombardie, de Vénétie ou bien de la ligne gothique. Et puis les membres des Groupes d'action patriotique, personne ne les connaissait : même aux leurs ils ne disaient pas leur nom de bataille.

— Peut-être Tonna avait-il tué…

— Tout à fait plausible, l'interrompit Dinon, ce ne serait sûrement pas un scoop. »

Soneri fit signe à la jeune fille d'apporter encore du vin et quand elle eut rempli les verres, il lâcha :

« Selon moi, vous savez très bien qui est Nibbio. »

Vaeven aussi donna une chiquenaude à sa visière et se pencha en avant en posant un coude sur la table bancale.

« Écoutez, commissaire, des flics, j'en ai connu beaucoup dans les années soixante avec Tambroni, ce n'est pas vous qui allez m'embrouiller. »

Soneri se tut et l'homme le prit pour un aveu d'échec. Mais il ne profita pas de son avantage et s'appuya contre le dossier de la chaise. Ils demeurèrent ainsi quelques instants jusqu'à ce que le commissaire décide de ne pas insister. L'équilibre sur lequel reposait leur conversation était précaire, comme les courants du Pô.

« Vous êtes restés au parti ? demanda-t-il alors.

— Toujours. Nous n'avons jamais retourné notre veste, nous : rouge, avec la faucille et le marteau, souligna Vaeven en relevant encore sa manche pour montrer son tatouage.

— Vous pensez que d'autres… »

L'homme leva sa main droite comme pour lancer quelque chose derrière lui.

« La plupart ont changé. Maintenant ils sont cul et chemise avec les prêtres et les bigots. Ils ont des coopératives et font des affaires avec les patrons.

— Barigazzi aussi ?

— Lui est vieux désormais. Mais ceux qui l'entourent, à force de mettre de l'eau dans leur vin, sont passés du lambrusco à la piquette.

— Vous naviguez encore ?

— Nous pêchons pour le plaisir. J'ai une vieille Magana qui tient bien le fleuve.

— Que transportait Tonna ?

— On disait qu'il charriait de la marchandise à vendre au poids, mais personne ne sait ce qu'il y a dans la soute. Il n'y a ni douanes ni frontières sur le Pô. »

Il faisait noir désormais, l'heure du dîner approchait et la salle se vidait. Dinon en profita pour se lever, en dépliant lentement son corps de colosse. Tous ses mouvements se faisaient doucement, comme s'il était en équilibre sur un canot flottant sur l'eau.

« Commissaire, que cherchez-vous ? » lui demanda-t-il alors que la conversation semblait terminée.

Soneri en fut comme déconcerté : désormais il avait baissé la garde et cette question avait ouvert à nouveau la porte aux doutes, parce que lui non plus ne savait pas ce qu'il cherchait. Il fut désemparé une seconde fois, tandis que le batelier continuait à l'observer de son regard métallique. Il y avait en lui une assurance qui sans doute n'avait jamais failli. Ses yeux étaient vierges de toute perplexité. Et Soneri sentit qu'il l'enviait.

« Je cherche Tonna », répondit-il à ce moment-là, mais il avait dit la première chose qui lui passait par la tête.

Les deux autres le regardèrent encore un peu et s'en allèrent sans dire un mot.

À cette heure tardive, le village était désert. Le seul bruit qui traversait le brouillard était le ronflement uniforme des pompes de drainage. Derrière la digue, on apercevait encore les lueurs des phares dirigés vers l'eau du lit d'inondation au niveau de la ligne de flottaison : deux sphères lumineuses auxquelles le brouillard donnait corps. Il sentait tout le poids de cette question : peut-être perdait-il son temps dans un village indifférent au sort du batelier protagoniste d'une époque désormais révolue ? Pas même ses proches ne sentaient le besoin de comprendre. Pour eux aussi, Tonna était mort depuis belle lurette. Il appartenait à un passé dont on ne voulait ni ne pouvait se souvenir. Les vieux, par horreur, les jeunes, par ignorance.

Il se faufila sous les arcades basses qui conduisaient chez le Sourd et entendit un bruit de talons de l'autre côté de la rue : des talons de femme. Il s'arrêta, mais il ne vit personne. Il se remit en marche et il entendit à nouveau le pas de cette femme jouant à cache-cache entre un pilier et l'autre. Alors il se mit au milieu de la rue et cria :

« Montre-toi ! »

Angela sortit et se dirigea vers lui en imitant une prostituée.

« Arrête, dit-il alors avec un sourire, le village est petit et ça jase.

— Je vois déjà le titre et la photo : le commissaire et sa petite amie.

— Je ne suis pas assez important pour finir dans les magazines illustrés. Les articles dans la gazette locale inspirés par Alemanni me suffisent.

— Maintenant ils s'acharnent contre tes absences. Juvara ne sait plus quoi dire : il répond à tout le monde que tu n'es pas là et qu'il ne sait pas quand tu reviendras.

— Tu es arrivée quand ? demanda le commissaire pour changer de sujet.

— J'ai roulé de jour et je t'ai pris un peu en filature jusqu'à ton entrée dans cette auberge.

— Je devais rencontrer quelqu'un.
— Et boire deux verres de malvasia…
— Je n'en peux plus des abstèmes et des végétariens. »
Angela était sur le point de s'emporter, mais Soneri l'arrêta net en lui barrant le passage.

« S'il te plaît, ne me frappe pas, ce soir je suis fragile », la pria-t-il d'une voix affligée par l'angoisse qu'il couvait depuis longtemps.

Alors elle le regarda soudain pleine de compréhension, puis elle l'étreignit et l'embrassa.

« Tu es irrésistible quand tu déposes les armes, lui susurra-t-elle à l'oreille. Mais rappelle-toi que tu as un compte à régler avec moi. Tu te souviens, n'est-ce pas ? Cette péniche et nous deux à l'intérieur qui…

— Ça te semble possible ? Il y a peut-être encore quelqu'un au cercle nautique.

— Mieux encore. Ça sera plus excitant. »

Il était inutile de s'opposer. Et pendant qu'ils marchaient, Soneri se sentait à l'étroit dans le rôle atypique de l'homme fragile qui s'en remet à une femme pour être consolé. Il était désorienté, mais il retrouva son personnage familier dans les précautions qu'il prenait à présent pour échapper aux regards des membres du cercle nautique, dont les silhouettes passaient de temps à autre devant les fenêtres éclairées de la guérite. Ils montèrent d'abord sur la digue, puis ils descendirent vers la place par un côté plongé dans le noir. C'était à nouveau le commissaire qui guidait Angela à présent.

Ils parcoururent dans l'obscurité le côté éloigné et non éclairé par le phare et ils se retrouvèrent au pied d'un premier talus. À cet endroit, il n'y avait pas d'escalier comme à proximité du cercle nautique et ils durent affronter la berge nue.

« J'ai des talons », chuchota Angela.

Soneri maugréa dans sa barbe : il avait affaire non seulement à des abstèmes et à des végétariens, mais encore à des fous. Alors il la souleva et il essaya de descendre tandis qu'elle lui murmurait avec une coquetterie ironique : « Comme tu es fort ! », en soupirant comme dans les mélodrames.

« Si tu continues, je te balance dans le Pô. »

Ils étaient tout en bas. De là, on ne pouvait voir le cercle nautique. Le seul danger pouvait être que quelqu'un vienne uriner dehors et les aperçoive depuis le béton du quai. Le bruit des pompes de drainage résonnait beaucoup là où ils se trouvaient et on entendait même le vacarme produit par l'écoulement de l'eau rejetée au-delà de la digue du lit d'inondation. Un bruit insolite au milieu des courants placides qui coulaient lentement, en silence. Celui qui était parti avec la péniche, le soir de la crue, avait probablement emprunté le même parcours, invisible à l'œil de Barigazzi et des autres.

Soneri installa la passerelle et fit d'abord monter Angela. Puis lui aussi fut sur la péniche et, à l'aide de la perche, il reposa la planche sur le quai. Angela l'entraîna aussitôt vers la cabine et ils se mirent à couvert.

« Je veux le lit du commandant », dit-elle sur un ton péremptoire.

Ils restèrent enlacés un moment jusqu'à ce que la péniche soit secouée par un ondoiement plus important accompagné du murmure du courant. Un bateau passait doucement le long du quai et Soneri fut en alerte.

Le vrombissement sourd du moteur, couvert seulement en partie par celui des pompes de drainage, s'arrêta à côté de la muraille de la péniche. Le commissaire fit un bond hors de la couchette et tenta de se rhabiller. Mais Angela s'accrocha à son bras en le faisant retomber sur le matelas. Chaque fois qu'il essayait de relever la tête pour se mettre en position d'écoute, elle le saisissait par la nuque et l'attirait à elle. Dehors on entendait encore le moteur tourner au minimum et quelqu'un qui discutait. Puis la péniche tangua légèrement : deux pieds apparurent sur le pont.

« Ils descendent », siffla Soneri en tentant de se dégager.

Mais elle le tenait solidement avec les jambes et les bras. Il dut se résigner et il eut pour seule préoccupation de ne pas faire de bruit.

Au-dessus, quelqu'un marchait. Le commissaire essayait d'imaginer ce qui se passait sur le pont. Il pensa avec soulagement au moment où, une heure auparavant, il avait fermé de l'intérieur la porte de la cabine de pilotage. Peu après, en effet, il entendit à plusieurs reprises la plainte de la poignée rouillée : quelqu'un essayait d'entrer et n'y parvenait pas. Puis les pas résonnèrent à nouveau, passèrent au-dessus de leur tête et se dirigèrent vers la muraille. Quelques minutes s'écoulèrent et le moteur se remit à tourner en faisant repartir le bateau.

« Je n'ai jamais vécu une situation aussi excitante », dit Angela avec enthousiasme.

Il la regarda.

« Pourrons-nous un jour nous retrouver dans notre lit

à nous, entre deux tables de nuit et l'image de la Vierge Marie au-dessus de nos têtes ?

— Lorsque nous en serons à ce stade, cela voudra dire que tout est fini. »

Soneri remonta dans la cabine de pilotage, débloqua la porte et sortit sur le pont. D'un bond, il atterrit sur le quai et il remit la passerelle. Ensuite, tous deux gravirent le talus du côté qu'ils avaient emprunté juste avant et arrivèrent dans la partie de la place qui n'était pas éclairée. Il n'y avait plus personne au cercle nautique. Les lumières étaient éteintes et les volets, fermés. De cet endroit on ne pouvait observer ce qui se passait sur le quai et, de toute façon, celui qui était monté sur la péniche avait tenu compte de l'heure de fermeture de l'établissement.

« Qui était-ce, selon toi ? demanda Angela.

— Je n'en ai aucune idée. Je pense qu'on est venu chercher Tonna. Il était compromis dans de sales trafics.

— Qui que ce soit, je dois le remercier : il a été parfait.

— Je serais curieux de voir comment tu réagirais si quelqu'un nous surprenait en plein milieu de l'une de ces folies.

— Je resterais tranquille : tu es commissaire de police ou pas ? » lui dit-elle en l'étreignant.

Puis elle éloigna son visage et elle le regarda en devinant ses pensées.

« Ça ne t'a pas plu ou tu penses à autre chose ?

— Je pense à ceux qui sont montés sur la péniche. »

8

Une fois en ville, il avait essayé de convaincre Angela de monter chez lui. Mais elle avait refusé : « Tu as sûrement deux horribles tables de nuit et une Vierge Marie au-dessus du lit », avait-elle dit en le saluant.

Toutefois, après une dizaine de minutes, il s'était senti soulagé de pouvoir dormir seul et de retrouver la satisfaction de ses habitudes. Mais, agité, il se réveilla avant l'aube. La ville était encore silencieuse dans le brouillard et il se mit à l'observer de la porte-fenêtre donnant sur le balcon. Il savait que ses voyages dans la basse plaine ne dureraient pas longtemps. Que, sans doute, c'était là le dernier jour où il pourrait justifier son absence de la préfecture de police pour suivre un aspect de l'enquête peut-être secondaire et peu significatif. Il entendait déjà les litanies victorieuses d'Alemanni déformées par l'écho qu'elles produisaient en passant à travers la bouche du préfet : un quatuor de violons stridents et menaçants.

Mais ce fut l'*Aïda* du téléphone, tout aussi agaçante, qui sonna.

« Commissaire, heureusement que vous vous réveillez tôt vous aussi, commença par dire Aricò.

— Ces Tonna m'empêchent de dormir.

— Moi aussi. Cette nuit, le bar de la nièce du batelier a été incendié.

— À quelle heure ? s'enquit Soneri, en mettant aussitôt en relation l'événement avec la visite nocturne dans la péniche.

— Vers trois heures. C'est un incendie criminel, il y avait les restes d'un bidon d'essence au pied du comptoir.

— Des témoins ?

— Ça serait trop beau. C'est le boulanger qui nous a appelés, il est allé travailler à quatre heures et il a vu la fumée.

— Des amateurs ou quelque chose de plus sérieux ? demanda Soneri.

— Des spécialistes, commissaire. Ils sont entrés en passant par une porte de l'arrière-boutique et ils ont fait du bon boulot. Il n'est pas resté grand-chose, expliqua l'adjudant, qui ajouta : Je vous ai d'abord appelé avant d'impliquer d'autres personnes… Profitez-en. Je sais bien comment se passent les choses entre nous et les magistrats.

— Merci Aricò, dit le commissaire, je serai sur place dans une demi-heure. »

Tandis qu'il voyageait dans le brouillard de l'aube, encore plus épais, il pensa avec reconnaissance à l'adjudant. Il avait tiré du lit le préfet pour lui rapporter toute l'affaire et ce dernier, encore ensommeillé, s'était répandu en une bordée de « parbleu ! » chaque fois que le commissaire lui demandait une dérogation ou un complément d'enquête. En définitive, il avait conclu ce qui semblait clair à Soneri depuis déjà une heure : il s'agissait d'un fait d'une extrême gravité, inédit, probablement le début d'un racket. Il était possible qu'Anteo soit menacé par la bande qui lui confiait le transport des clandestins. Peut-être transportait-il autre chose et n'avait-il pas respecté les accords. Mais s'il avait été tué, pourquoi venaient-ils le chercher ? D'autres devaient l'avoir liquidé. Ou alors il avait vraiment disparu avec l'argent, en simulant un accident, après avoir vendu un chargement de drogue. C'était quand même bizarre que ce soit arrivé juste la veille du meurtre du frère.

Lorsqu'il gara sa voiture devant l'auberge *Italia*, le brouillard s'était déjà dissipé au-dessus de la digue. Les pompes de drainage ronflaient encore et le commissaire fut tenté d'aller voir à quel point les eaux avaient baissé dans le lit d'inondation. Mais un coup de vent apporta jusqu'à ses narines l'âcre odeur de brûlé, l'attirant vers l'enchevêtrement de ruelles au cœur du village. De loin, ce qui restait du bar lui donna l'impression d'un œil au beurre noir. Une auréole sombre avait coloré également la façade de la maison jusqu'au premier étage et il n'eut pas à s'approcher beaucoup pour comprendre qu'à l'intérieur rien n'avait pu être sauvé. Il pensa que le noir était une constante dans cette famille : pour le pire plus que pour le meilleur. Les pompiers étaient entrés avec les lances d'incendie, ils avaient déjà étayé le plafond et ils dirigeaient des jets d'eau vers le centre de la salle, où les flammes continuaient à couver. Sur le trottoir, séparés des curieux, se trouvaient la nièce de Tonna, un manteau passé sur sa robe de chambre, et son fils.

Soneri alluma son cigare et se déplaça pour rejoindre Aricò, immobile devant sa camionnette.

« Vous avez eu du flair en comprenant que ce Tonna... »

Le commissaire esquiva d'un geste de la main.

« Aricò, dit-il en s'approchant de l'oreille de l'adjudant, cette affaire est pour vous. Le moment est venu de payer ma dette pour ce matin. »

Cette fois, ce fut le carabinier qui minimisa.

« Pourquoi donc, demanda-t-il après une pause, devrais-je m'occuper de cette affaire ?

— J'ai l'impression que l'incendie n'a rien à voir avec la disparition d'Anteo Tonna. Cet homme, murmura Soneri, avait des casseroles au cul.

— Commissaire, vous voulez me donner mal à la tête ? Après une nuit blanche, avec ces cendres en face, vous vous mettez à jouer aux devinettes ? »

Il avait raison : plus que parler avec lui, Soneri raisonnait pour lui-même à voix haute.

« Adjudant, Tonna transportait des clandestins. Les chargements de céréales indiqués dans la comptabilité du journal de bord n'étaient qu'une couverture. »

Aricò devint plus sérieux encore et rabattit sur ses yeux son képi en le prenant par la visière.

« Il devait du fric à l'organisation des passeurs, c'est pour ça qu'on est venu le chercher. Ne le trouvant pas, on lui a adressé un avertissement. Donc, constata Soneri, on considère qu'il est encore vivant et on pense qu'il fait le malin.

— Vous êtes convaincu de ça ?

— Pourquoi pas. Mais je soupçonne qu'il y a autre chose. De toute façon, conclut Soneri, je vous ai filé un tuyau : l'enquête sur les clandestins est à vous. »

Aricò donna un autre coup à sa visière et s'appuya à la portière de la camionnette en regardant dans l'antre noir du bar incendié. Soneri, quant à lui, quitta la place et se dirigea vers le quai. Il monta sur la digue et quand il arriva sur le chemin de halage, il fut assailli par le bruit des moteurs. Il descendit vers la cour du cercle nautique et vit Barigazzi sur le pas de la porte, bottes jusqu'aux genoux.

« Vous n'êtes pas sur la place ?

— J'en viens.

— Qu'en pensez-vous ?

— C'est la première fois qu'on met le feu à un établissement. Et derrière les nouveautés il y a toujours quelque chose qui se trame, marmonna l'homme en affichant un certain pessimisme.

— Est-ce que la famille de la nièce de Tonna est "propre" ? insista Soneri.

— Ils s'occupent de leurs affaires, mais comme tout le monde. Ici, l'argent est la seule et unique religion désormais. Le mari de la nièce est conseiller municipal de droite. Une droite de commerçants qui ont enlevé la chemise noire et ont mis la cravate. »

Barigazzi cracha sur le bitume comme il faisait toujours lorsqu'il désapprouvait quelque chose. On sentait bien son malaise de vivre dans un monde qui avait trop changé. Il ne lui restait que le Pô, son paysage, le brouillard et ce petit coin de passé qui s'entrouvrait derrière les portes du Sourd.

« J'ai rencontré Dinon qui ramait dans le lit d'inondation, dit le commissaire, changeant de discours. Il dit qu'il va contrôler la baisse des eaux. »

Le vieil homme le regarda avec étonnement.

« Non, il a dû aller contrôler la stèle des résistants. Chaque fois le courant l'abîme.

— Il y a une stèle dans le lit d'inondation ?

— Depuis toujours. Un monument aux camarades qui ont combattu le long du Pô.

— C'est Dinon qui l'entretient ?

— Lui et son cercle d'amis se définissent comme des communistes orthodoxes et pensent qu'ils sont les seuls autorisés à garder le monument. En réalité, on le fait nous aussi : on a le bon goût de choisir des jours différents.

— Combien sont-ils à part Dinon et Vaeven ?

— Pas beaucoup, répondit Barigazzi d'un ton railleur. Un petit groupe de nostalgiques qui se retrouvent dans une vieille boutique de cordonnier pour adorer le buste de Staline.

— Tant mieux pour eux, reprit le commissaire, ils ont certainement passé leur vie à espérer la révolution. Ça a été pire pour Tonna, qui n'a vécu que de souvenirs et de frustrations.

— Dites la vérité, le taquina Barigazzi, il était compromis dans de sales trafics, pas vrai ?

— Comment le savez-vous ?

— Sur le Pô, on se connaît bien, ça discute. Autant que je sache, des céréales, il n'en transportait pas beaucoup. Mais il voyageait souvent et une péniche comme celle-là, c'est pas donné. L'argent devait forcément arriver de quelque part.

— Je crois que vous avez raison, répondit Soneri. Dans ce brouillard se cachent de plus en plus de mystères.

— La basse plaine est grande et il y a de moins en moins de riverains. Il y a des maisons dans lesquelles personne ne sait ce qu'il y a ni qui y vit », dit Barigazzi.

Le commissaire fit mine de s'en aller.

« Combien d'eau y a-t-il encore dans le lit d'inondation ?

— Un mètre et demi. Dans l'après-midi on pourra voir le fond. »

L'air transportait là aussi l'odeur de roussi. La fumée devait s'être mêlée au brouillard et stagnait au-dessus du village. L'affaire du bar avait attiré l'attention de tout le monde et cela rendait les choses plus faciles pour le commissaire. Le préfet passerait des jours à présider des réunions et la presse ne s'intéresserait plus aux confidences venimeuses d'Alemanni.

« Que diriez-vous de faire un tour dans le lit d'inondation avec votre canot ? demanda Soneri.

— Nous risquons de rester bloqués, enlisés dans les fonds sableux ou entravés par un tronc, répliqua Barigazzi. J'utilise ma barque pour la pêche…

— À deux nous y arriverons.

— D'où ça vous vient cette envie de faire du tourisme ?

— C'est votre faute, répondit le commissaire, vous ne m'aviez pas conseillé d'attendre que les eaux s'éclaircissent ? »

Barigazzi lui lança un regard intense, pénétrant, et ne dit rien. Ce n'est que lorsque le commissaire s'était déjà éloigné d'une dizaine de pas qu'il cria en sa direction :

« Venez juste après le déjeuner, avant que les eaux ne baissent trop. »

Soneri s'achemina vers le Sourd, en fendant l'air empesté par les tisons qui remontait les rues et envahissait les arcades. Il croisa de grosses berlines, gyrophares allumés, dans lesquelles il reconnut les chauffeurs de la préfecture de police. Lui aussi avait été convoqué à la mairie, où se tenait une réunion avec le préfet de police, le préfet et les maires de la basse plaine. L'inquiétude avait atteint un niveau comparable à celui du moment où le Pô menaçait les habitations. Avant d'entrer dans l'auberge, il appela Juvara.

« Tu es resté seul ? Tout le monde est ici.

— Plus ou moins… Cet incendie peut éclaircir les choses ?

— Oui, mais seulement en partie.

— Comment ça ? Le préfet de police est convaincu que c'est l'œuvre de la bande qui a éliminé Tonna.

— Si c'étaient eux qui l'avaient tué, pourquoi auraient-ils brûlé le bar de sa nièce ?

— Elle était peut-être compromise également…

— Tonna transportait des clandestins du delta jusqu'aux villes riveraines. Quelques heures avant qu'ils n'incendient le bar, ils sont allés le chercher dans la péniche. Cela veut dire qu'ils pensaient qu'il était encore vivant et qu'il faisait le malin. Ils ne pouvaient pas détruire le bateau parce qu'il servira encore. Il n'y a pas moyen plus commode et plus sûr pour faire arriver des immigrés au cœur des zones industrielles que de transborder au large de l'embouchure sans même l'inconvénient de devoir accoster. Risques réduits au minimum et rendement maximum.

— Commissaire, vous devez aller le dire au préfet de police : tout le monde est persuadé que le racket a débarqué chez nous et que les deux frères ont été supprimés par une bande de rançonneurs », expliqua Juvara.

L'inspecteur n'avait pas tort. Soneri connaissait les vagues soulevées à la préfecture de police chaque fois que se produisait un événement imprévu de ce genre. Il y avait le risque que s'ouvre inutilement un nouveau front dans l'enquête. Il pensait en outre que l'adjudant ferait certainement un rapport sur les trafics d'Anteo Tonna et, à ce stade, la boucle serait bouclée. Pendant quelques minutes, il garda dans la main son portable, ne sachant pas s'il devait appeler le préfet de police ou bien attendre. La réunion à la mairie était prévue pour seize heures : peut-être parviendrait-il à descendre dans le lit d'inondation et à arriver à temps à la réunion.

Le Sourd avait son appareil inséré dans les oreilles, mais le résultat n'était pas très différent de l'accoutumée. Soneri dut recourir à la langue des signes qu'il avait apprise de Barigazzi. Il n'y avait personne au *Sordo* et c'était probablement la raison pour laquelle l'aubergiste avait remis son oreillette. En le voyant passer entre les tables, Soneri eut la conviction qu'il savait beaucoup de choses sur la vie du village, sur Tonna et sur son passé. Peut-être connaissait-il aussi Nibbio. Voilà pourquoi il avait demandé à Barigazzi d'être conduit dans le lit d'inondation. Il voulait examiner la stèle, lire ce qui était écrit sur le marbre.

Lorsqu'il sortit, le fortanina pétillait encore dans son estomac. Barigazzi l'attendait déjà sur le quai.

« Nous devons nous dépêcher, dit le vieil homme, ce soir les eaux seront déjà trop basses et il se peut que je ne puisse pas retourner vers le quai avec le canot. »

Ils embarquèrent et Soneri, par précaution, s'assit. Barigazzi, lui, avait planté ses pieds larges de part et d'autre de la coque, en accompagnant ses mouvements sans que son buste bouge d'un seul centimètre. Quand ils arrivèrent juste derrière les pompes, ils descendirent et soulevèrent le canot avec le treuil pour le reposer ensuite sur les eaux du lit d'inondation.

« Vous voyez ? reprit Barigazzi. Les branchages du sous-bois affleurent déjà, ajouta-t-il en indiquant de petites branches qui émergeaient de l'eau.

— Il y en a encore assez pour flotter, constata le commissaire.

— Pas partout. Le terrain du lit d'inondation est irrégulier et il n'y a pas de sillages de navigation. »

Il y avait peu de lumière, bien que la peupleraie fût complètement dénudée. Le brouillard semblait s'être empêtré dans cette toile de branchages. Ou peut-être l'ombre était-elle due aux digues qui délimitaient cette langue de terre submergée. Ils dépassèrent la masse du pressoir, avec ses tourelles et ses énormes silos. Un lieu qui semblait être le royaume de la rouille et de la boue sur laquelle l'eau avait déposé la couleur fraîche de son passage. Barigazzi rama en donnant quelques coups rares et brefs à travers les troncs encore trempés jusqu'à la racine de leur chevelure. Le canot glissait sur de longues distances grâce à la force de propulsion de la rame et, quand c'était nécessaire, le vieil homme, depuis la poupe, plongeait de biais la pale faisant office de gouvernail, pour le diriger plus précisément.

À un moment donné, Barigazzi cessa de ramer et, immobile, debout, il leva son bras avec l'index tendu sans dire un mot. Soneri vit apparaître une petite colonne en marbre, blanche comme un os rongé, qui ressortait sur l'eau avec sa couleur singulière.

« Nous devons la contourner, murmura le batelier, là les fonds sont très bas et la stèle a été construite sur un talus. »

Ils s'approchèrent jusqu'à ce que le fond de la coque frotte contre un dépôt de sable. Soneri lut distinctement : « Aux résistants de toutes les formations qui ici combattirent et moururent pour mettre fin à la barbarie. » Il n'y avait rien d'autre.

« Qui l'a posée ? demanda-t-il.

— L'ancien Parti communiste, répondit Barigazzi, lorsque nous étions encore tous unis.

— Pourquoi ici, où les eaux vont et viennent ?

— Le lit d'inondation était l'endroit où les résistants se déplaçaient le plus facilement. Dans le passé, il était plein d'arbres et de maquis, mais en cas de besoin il y avait le Pô pour se tirer d'affaire », expliqua le batelier.

La stèle et l'endroit où elle s'élevait dégageaient une sorte de mystère. Le commissaire relut les mots gravés dans le marbre et perçut leur musique solennelle qui contrastait avec les inflexions du dialecte de Barigazzi. C'est à ce moment que lui revint en mémoire la phrase de la nièce de Tonna à propos du coup de fil de ce type mystérieux cherchant Barbisin, son oncle. Cet homme parlait très bien le dialecte, mais il écorchait l'italien par contamination avec un accent étranger.

Barigazzi déplaça la barque pour la faire tourner autour de la stèle. L'eau s'était vraiment éclaircie, en se libérant, dans le calme, de l'aspect trouble qui l'imprégnait. Il chercha d'autres signes sur le marbre, mais la seule inscription était celle qui était lisible sur le côté donnant sur le Pô. Le batelier passa derrière le monument, mais de ce côté-là aussi le marbre était complètement lisse. C'est à ce moment-là que le commissaire se pencha du canot jusqu'à toucher la pierre au risque de perdre l'équilibre. Il se recula et au même instant regarda vers le bas, à pic, le long du flanc de la barque.

Il y avait quelque chose de sombre sur le fond. Quelque chose qui, en dépit de ses contours vagues, lui sembla être un cadavre. Il en avait vu tellement qu'il lui suffit de fixer plus intensément son regard pour s'en assurer. Un cadavre qui devait être retenu au fond par un poids. Les bords de ce qui ressemblait à une houppelande se relevaient légèrement aux fluctuations de l'eau provoquées par la barque. Le commissaire se redressa, regarda Barigazzi et indiqua la silhouette sur le fond.

« Il n'était pas allé très loin. »

Le batelier demeura silencieux, puis il murmura :

« Je n'ai jamais cru à une fugue. »

Soneri prit son portable dans la poche de son Montgomery et composa le numéro de la police scientifique.

« Tu dois revenir dans la basse plaine, dit-il à Nanetti, et cette fois te mouiller aussi les fesses. »

Il appela ensuite Aricò. C'est le brigadier qui lui répondit, en lui apprenant que l'adjudant était allé se coucher.

« Réveillez-le. Dites-lui que nous avons trouvé le cadavre de Tonna. »

Le brigadier dit « bien sûr » en avalant sa salive et il raccrocha.

Soneri se rassit dans la barque et regarda Barigazzi pour lui demander conseil.

« À deux nous n'y arriverons pas. Il est certainement attaché là-dessous et il faut plonger pour couper les cordes. Ce ne sera pas un travail facile, parce que dès qu'on les touche, les fonds sableux troublent les eaux et on ne voit plus rien.

— Combien de temps leur faudra-t-il ? demanda le commissaire en indiquant du menton les pompes.

— Pas beaucoup. Demain matin, il ne restera que des flaques.

— Accostez à la digue, ordonna Soneri, je prends un raccourci. »

Barigazzi obéit en abordant entre deux arbustes. Le commissaire fit un bond en secouant violemment la barque, si bien que le vieil homme dut s'appuyer contre la rame pour ne pas tomber.

« Quand on est trop pressé, on se retrouve à l'eau », souffla-t-il dans son dos avant de s'en aller en glissant au milieu de la peupleraie.

Dès qu'il fut seul, le commissaire saisit son portable et téléphona au préfet de police. Il allait lui gâcher le rituel de l'après-midi bien au chaud avec le thé et les petits-fours, les secrétaires se dandinant et toute la rhétorique ronflante des déclarations contre la criminalité. Le secrétaire un peu efféminé tenta, exaspéré, de faire de l'obstruction jusqu'à ce que Soneri, du ton peu aimable qu'il utilisait avec les délinquants, lui intime l'ordre de le laisser parler au préfet.

Nouvelle bordée de « parbleu ! » suivie de trois points d'exclamation. « Bien évidemment ! Vous pouvez continuer... Oui, oui, toutes les vérifications nécessaires... Certainement, mobilisez aussi la police scientifique et les plongeurs... » Et enfin : « Tenez-moi au courant ! »

Monsieur le préfet n'avait pas envie de souiller ses chaussures dans la boue. Celles du commissaire, en revanche, avaient déjà une double couche de terre qui dépassait sur les bords et où restaient collés les cailloux de la route.

Il s'accroupit comme il l'avait fait les après-midi précédents en attendant le canot de Dinon Melegari. La lumière baissait de minute en minute comme un fondu cinématographique et là-dessous, où le marbre immaculé affleurait, les eaux corrodaient le corps d'Anteo Tonna. Il avait passé sa vie à flotter et à présent il se trouvait tout au fond.

Aricò arriva en premier avec sa camionnette, gyrophares allumés. Le commissaire lui demanda de les éteindre : il ne voulait pas attirer les curieux autour d'eux.

L'adjudant avait mauvaise mine, une carte géographique sur laquelle était dessinée une orographie revêche alternant montagnes et vallées inaccessibles.

« Combien d'eau le recouvre ? demanda-t-il.

— Un mètre, peut-être moins. Mais il est attaché au

fond : il faut plonger, fourrer sa tête dans l'eau et couper les cordes.

— J'appelle les plongeurs, même au village on doit bien avoir quelqu'un ayant une combinaison. »

Le commissaire pensa quelques instants à ce que serait la meilleure solution : attendre le matin suivant que les pompes aient vidé entièrement le lit d'inondation ou bien faire remonter tout de suite le cadavre à la surface. Mais tandis qu'il réfléchissait, Aricò parlait déjà avec un type qui promettait d'arriver d'ici un quart d'heure. Il éprouva soudain une grande réticence à extraire le cadavre. Il craignait que quelque chose lui échappe, qu'une preuve soit détruite. Il regardait autour de lui à la recherche de Nanetti, mais l'obscurité de plus en plus épaisse et le brouillard limitaient la portée du regard.

Lorsque le plongeur descendit, on ne voyait plus qu'à quelques mètres. Du moins jusqu'à ce que l'adjudant allume les phares de sa camionnette. Sur les eaux mortes du lit d'inondation, c'est d'abord la stèle qui apparut, laissant émerger désormais d'une bonne moitié sa blancheur resplendissante. Le plongeur s'approcha du monument en marchant très lentement pour ne pas soulever la vase. Quand il s'agenouilla, il alluma une torche puissante qu'il fixa sur son front avant de mettre sa tête sous l'eau. Depuis la digue, Soneri aperçut l'eau éclairée qui bouillonnait et un bord de la houppelande de Tonna remonter à la surface. Puis, avec la lenteur d'un gâteau qui lève, tout le corps gonflé d'eau fit surface en commençant à tourner lentement, les jambes écartées. Le plongeur le saisit et l'entraîna vers la rive.

Ils le mirent sur le dos seulement lorsqu'ils furent au sommet de la digue et qu'ils purent l'étendre sur une bâche en plastique. C'est alors qu'apparut un visage de cire rongé par l'eau et recouvert de boue. Mais c'était bien lui. Et quand le commissaire leva son regard au-dessus du front, il vit qu'il manquait la moitié de la calotte crânienne. Une cavité profonde s'ouvrait juste au sommet, pareille à la fente béante d'une pastèque trop mûre.

Il essayait de se représenter le visage de Decimo, mais sa mémoire s'arrêtait à l'image d'un corps dont les articulations avaient sauté, étendu sur un drap jaune. Puis il parvint enfin à s'en souvenir. Il n'était pas nécessaire d'être un expert en anatomopathologie pour comprendre quel était le dénominateur commun entre les deux crânes défoncés.

« Un coup terrible, commenta l'adjudant.

— Oui, marmonna Soneri, et ce n'est pas le premier que je vois.

— J'imagine », dit le carabinier sans comprendre l'allusion à Decimo.

Désormais il faisait complètement noir. Autour du cadavre se trouvaient encore le commissaire, Aricò et le brigadier. Au fond, le plongeur toujours en combinaison ressemblait à un étrange poisson d'eau douce recouvert de vase visqueuse. La seule lumière était celle des phares de la camionnette à travers laquelle soufflait par rafales un vent chargé d'humidité. Dans l'air, on sentait encore l'odeur de brûlé.

« Il faut prévenir l'ambulance et le magistrat pour la levée du cadavre », informa le brigadier.

Aricò se tourna vers le commissaire, qui fit un signe d'assentiment. Au même moment un véhicule s'approcha du chemin de halage et lorsqu'il fut à quelques mètres, Soneri reconnut la voiture de la police scientifique. Avant que Nanetti ne descende, le commissaire se retourna, dans le noir, vers Aricò :

« Y a-t-il une chapelle près d'ici ? »

L'adjudant répondit en indiquant un lieu le long de la digue vers l'obscurité, mais Soneri comprit parfaitement : il se rappelait qu'il était passé à côté sans s'arrêter.

Quand il posa à nouveau son regard sur le cadavre, il vit Nanetti déjà penché en train de l'examiner avec une petite torche qui projetait une lumière blanche de pleine lune. Il reconnut les procédures de la police scientifique, toujours les mêmes, réglées comme un cérémonial. Puis son collègue se leva non sans peine avec une grimace de douleur et un craquement des articulations.

« Je pense que tu as déjà remarqué ce qui saute aux yeux, commença-t-il par dire en montrant la tête. Pour le reste, je ne peux pas dire grand-chose pour l'instant, mais, à vue de nez, il me semble qu'il est mort le jour même de sa disparition.

— Il vaut mieux le faire transporter au plus vite dans les chambres frigorifiques de la morgue, proposa Aricò.

— Je le pense aussi », convint Soneri après avoir lancé un coup d'œil à Nanetti.

Celui-ci acquiesça en silence et ajouta :

« L'assassin doit avoir bien préparé son coup ; qui mieux qu'une crue du Pô peut effacer toute trace ? »

Le commissaire n'avait pas pensé que l'assassin puisse avoir agi en tenant compte de la montée des eaux.

Qu'il ait attendu que l'eau se répande dans les lits d'inondation en les remplissant et en recouvrant la scène du crime. Il s'aperçut que l'adjudant et Nanetti le regardaient avec insistance. Quand il réfléchissait, il devait y avoir sur son visage une expression particulière parce que tout le monde l'observait et qu'Angela lui posait toujours la question la plus odieuse qu'il connaisse : « Qu'est-ce que tu as ? À quoi tu penses ? »

Heureusement les lumières bleues des gyrophares de l'ambulance attirèrent l'attention de tous. Avant qu'elle n'arrive, le commissaire considéra encore la scène : lui, Aricò, le brigadier et Nanetti debout, dans le brouillard, près d'un cadavre gonflé d'eau. Une image digne d'un film de gangster.

Ce n'est que lorsque le fumet des pâtes aux haricots parvint à ses narines qu'il se souvint de la réunion à la mairie. Il l'avait complètement oubliée. Mais le préfet de police avait totalement oublié l'homicide.

« C'est toi qui as gagné, commenta Nanetti en promenant son regard sur les murs du Sourd avec cette curiosité pour les détails qui le caractérisait quand il examinait les cadavres ou les douilles.

— Quoi ?

— Contre Alemanni. Il disait que tu prenais des vessies pour des lanternes…

— Alemanni n'a jamais rien compris. Il aurait dû être notaire.

— Qu'en penses-tu ? demanda son collègue en se référant à l'affaire.

— Que le mobile n'est pas commun.

— Pourquoi ? »

Soneri leva son regard vers le Christ aux jambes repliées sans réussir à traduire en mots compréhensibles la farandole de fantômes, intuitions et hypothèses qui tournait dans sa tête.

« Il y a en jeu quelque chose qui s'est produit il y a très longtemps. Ou peut-être ne s'agit-il que d'un événement préliminaire. Dans la péniche, j'ai trouvé un mot à propos de l'exécution d'un résistant.

— Cela fait plus de cinquante ans…

— C'est vrai, admit le commissaire. Mais j'ai la sensation que le temps, pour les Tonna, s'est écoulé en vain. Peut-être par cohérence extrême, peut-être par honte, leur mentalité est restée celle qu'ils avaient à vingt ans. C'est étrange dans un monde de sépulcres blanchis. »

Nanetti engloutit quatre cuillerées de pâtes aux haricots. Puis il leva à nouveau les yeux et dit :

« Ça, c'est tout à leur honneur.

— Le prix à payer a été une vie de solitaires. Decimo faisait semblant d'avoir commencé à vivre à quarante ans, son frère passait ses journées seul sur une péniche et il était disposé à se compromettre avec des passeurs juste pour continuer à naviguer.

— Tu es sûr que ceux-là ne sont pas impliqués ?

— Oui. Ils croyaient être l'unique menace pour Tonna. En réalité… »

Tandis qu'il parlait avec Nanetti, la conviction qu'il s'agissait d'un crime inhabituel et presque insondable se renforçait en lui. Cela lui rappelait la mort d'un repris de justice, plusieurs années auparavant, menacé par tout le monde mais mort banalement en tombant d'une échelle alors qu'il tentait de dévaliser un appartement.

« Si c'est la même personne qui a tué les deux frères, intervint Nanetti, cela veut dire que le matin il a tué Decimo et le soir, Anteo. Mais n'était-ce pas ce dernier, la cible principale ?

— En effet, répondit Soneri, songeur. Et pourquoi tuer Decimo dans un hôpital avec les risques que cela comportait ? Et puis sommes-nous certains de l'ordre des meurtres ?

— L'autopsie nous le dira.

— Il devait les tuer tous les deux. Et peut-être que tous les deux sentaient la menace. »

Nanetti reposa la cuiller dans la soucoupe vide et écarta les bras. Il ne suivait jamais son collègue dans ses suppositions. Pour lui, seules comptaient les preuves et les démonstrations. Et les seules certitudes étaient représentées à ce moment-là par deux cadavres, deux frères tués de la même manière.

Soneri fit signe au Sourd d'apporter une assiette de jambon blanc. L'établissement commençait à se remplir, mais on ne voyait ni Barigazzi ni les autres membres du cercle nautique. Nanetti continuait à regarder autour de lui jusqu'au moment où il aperçut dans le coin situé derrière lui le mètre gradué où étaient cochée la hauteur de l'eau et inscrites les dates des inondations.

« Rien que d'y penser, mes rhumatismes se réveillent.

— Pense à Tonna qui est resté là-dessous pendant des jours.

— L'humidité était le dernier de ses problèmes. L'eau, à la limite, a évité qu'il se décompose trop vite.

Et puis, dans le lit d'inondation, il n'y a pas de brochets. »

Tonna, en effet, n'avait pas été touché une seule fois sous l'eau. Soneri se rappelait en revanche des cadavres corrodés par l'agression des poissons, défigurés comme si on les avait frottés sur du papier de verre. Nanetti le surprenait avec son insupportable compétence sur le Pô et sa faune.

« Je me suis documenté, dit-il, et je sais aussi que, dans le coin, sur la rive de Crémone, il y a un village plongé sous l'eau qui n'émerge que pendant les périodes de grande sécheresse.

— Tu te souviens du lieu ?

— Non, mais c'est ici, sur l'autre rive. Je crois qu'il suffit de demander. La campagne d'assainissement de l'après-guerre a modifié le cours du fleuve et le village a été déplacé quelques kilomètres en amont. »

Soneri ressassa la nouvelle et commença à sentir croître en lui un mal-être qui ressemblait à de la rancœur. C'était comme une légère pression en un point de sa tête qu'il n'aurait su définir. Depuis des jours il allait et venait sur les digues et parlait avec les gens de la région sans avoir appris la présence de ce village englouti. Il était agacé que Nanetti soit arrivé là un soir avec une information supplémentaire. Il se sentait crétin. Même si en définitive il n'était pas sûr que ces quatre baraques, dont il ignorait l'existence, étaient vraiment importantes. Peut-être ne l'étaient-elles pas, mais pourquoi, alors, s'était-il mis en colère ?

Le Sourd arriva avec le jambon blanc et Soneri fut tenté de lui demander des renseignements au sujet de ces maisons sous l'eau, mais il vit qu'il avait débranché à nouveau son appareil. Et de toute façon il n'aurait pas répondu même s'il avait parfaitement entendu. Soneri dissimula ses pensées en s'improvisant serveur, distribuant le jambon blanc sur les assiettes et versant le fortanina dans les verres. Nanetti le laissa faire et, lorsque vint le moment de commencer le plat de résistance, il lui dit :

« Cette histoire du village sous l'eau t'a frappé ? »

Il avait parlé avec un tel calme que le commissaire se calma à son tour, tout en s'étonnant de son rapide changement d'humeur.

« Personne ne m'en a jamais parlé, répondit-il au moment où la pensée que peut-être tout s'expliquait se superposa au son de ces derniers mots.

— Sur les vieilles cartes topographiques de l'époque fasciste, il est encore indiqué. Il était au milieu d'un marécage, ajouta Nanetti, et les dignitaires fascistes refusèrent de faire assainir la zone parce qu'ils disaient qu'elle pullulait de "rouges". De Gasperi le fit ensuite. »

Soneri se souvint de la passion de Nanetti pour la topographie et les vieilles cartes militaires ou du génie civil. Sa cave en était pleine et son épouse la définissait comme le plus bel élevage de vers rongeurs de la province.

« Et ce village était habité jusqu'au changement de lit du fleuve ?

— Tu m'en demandes trop, répondit Nanetti, mais je pense que oui, vu qu'il fut reconstruit flambant neuf dans l'intérieur des terres de la basse plaine. »

Soneri ne savait pas encore pourquoi, mais l'histoire l'intéressait.

« Comment s'appelle le village ?

— San Quirico. Il me semble que plus personne ne vit dans les maisons reconstruites. Les enfants des propriétaires les utilisent comme résidences secondaires. »

Soneri continuait à penser aux murs au-dessus desquels coulait lentement le Pô. Combien de personnes avaient été heureuses ou tristes dans ce lieu ? Combien d'histoires personnelles étaient ensevelies sous l'eau ? Il ne savait pourquoi, mais il s'imaginait que l'une d'elles avait à voir avec l'affaire des Tonna. Cette idée l'effrayait, mais sa curiosité naissait du fait que personne ne lui avait touché mot de cet endroit, bien qu'il fût à portée de tir du port nautique. Peut-être pouvait-on même le voir pendant les journées limpides au-delà de la surface de l'eau.

Nanetti se leva et lorsqu'ils sortirent sous la galerie d'arcades où l'on sentait encore l'odeur de roussi, Soneri conclut en son for intérieur que l'enquête devait repartir du cadavre d'Anteo. Des faits, en somme. De l'unique chose qui compte, comme l'affirmait toujours Nanetti.

« Demain tu auras tous les journalistes sur le dos et Alemanni fera une crise cardiaque », lui dit son collègue avant de monter dans la voiture.

Le commissaire sourit à peine, en serrant entre les dents son cigare éteint. S'il avait donné de l'importance seulement aux faits, il n'aurait jamais mis pied sur les rives du Pô.

9

Brouillard et gel avaient déposé sur le toit de sa voiture une fine couche de givre. De tout petits cristaux tombaient telle de la poussière blanche et intermittente tandis que la température continuait à baisser en figeant la campagne. Son portable sonna au moment même où il traversait un bout de chemin complètement blanchi. Sur le côté, les pavillons au toit en pente lui rappelaient les cartes de vœux de Noël.

« Je ne vous ai pas vu à la réunion, attaqua le préfet de police d'un ton qu'il aurait voulu réprobateur mais qui n'en avait pas l'étoffe.

— Je devais m'occuper d'un cadavre », répondit sèchement Soneri.

La pause fut si longue qu'on aurait dit que la ligne avait été coupée.

« J'aurais souhaité vous parler de ça aussi, dit alors le préfet en tentant de se rattraper, demain nous serons assaillis par la presse.

— Je préfère m'en tenir à l'écart, rétorqua Soneri.

— Nous devrons rendre compte de ce tournant dans l'enquête, affirma avec plus de vigueur son supérieur.

— Vous, monsieur, dit le commissaire avec déférence, vous savez mieux que moi ce qu'il faut faire dans ces cas-là. Et puis il n'y a pas grand-chose à dire : nous l'avons repêché cet après-midi, il a reçu un coup qui lui a défoncé le crâne comme son frère et il a été tué vraisemblablement le jour même de sa disparition. On l'a attaché au fond près de la stèle des résistants dans le lit d'inondation à proximité du pressoir, non loin du port nautique. Voilà tout. »

La longue pause laissa penser à Soneri que son interlocuteur prenait tout en note sur l'une de ces feuilles à en-tête de la préfecture de police qu'il avait toujours devant lui lors des réunions. Il imaginait également le stylo plume qu'il glissait dans cette sorte d'encrier dans lequel il restait fiché tout droit telle une antenne sur le bureau. Il était certain qu'il n'insisterait pas : il était sûr de le mettre dans sa poche quand il faisait appel à sa vanité. Il n'avait rien non plus contre les journalistes. Après tout, ils exerçaient un métier semblable au sien. Mais il ne savait jamais comment répondre à leurs questions, en jonglant entre le secret de l'instruction et la complexité des faits. On lui demanderait certainement comment il avait compris que le cadavre était caché là dans les eaux du Pô. Que pouvait-il répondre ? Qu'il en avait eu l'intuition ? Qu'il le sentait ? Pouvait-on transformer en discours quelque chose de si fuyant et de si complexe ? Dans son esprit passaient des nuages sans contours ni formes géométriques. Il n'était pas possible de les enfermer dans un périmètre et il n'avait même jamais essayé. Il lui semblait que c'était une tâche impossible, comme donner forme au brouillard. Il était dans son élément comme un goujon du Pô et cela lui suffisait : c'était tout ce dont il avait besoin pour sa profession.

À présent il éprouvait la même attraction inexplicable pour le village englouti. Et il pensait déjà que tout ce froid glacial, avec les jours de sécheresse qu'il entraînait, ferait descendre les eaux jusqu'à laisser à découvert les murs de l'ancien village de San Quirico, et qu'il pourrait s'y promener comme dans une sorte de *calle* vénitienne entourée des fantômes des maisons. L'enquête était rythmée par les eaux du Pô, qui montaient et descendaient sans jamais épargner les rives du fleuve.

Sa voiture faillit déraper sur un bout d'asphalte recouvert de verglas glissant comme du verre. La peur l'empêcha d'entendre l'*Aïda* qui depuis plusieurs secondes n'avait cessé de retentir sous son Montgomery.

« Où étais-tu ? demanda Angela.

— J'ai failli me retrouver dans le fossé.

— Évidemment, tu as des distractions irrésistibles…

— Le verglas et mes pneus presque lisses.

— Tu sais que les carabiniers ont lancé une grande enquête sur la traite des clandestins ?

— Comment le sais-tu ?

— Un confrère défend un maquereau albanais qui amenait des filles ici pour les mettre sur le trottoir et il m'a fait lire le dossier. Il semble qu'ils aient découvert un gros trafic, ainsi que la manière dont elles arrivent chez nous.

— Tu as vu si Aricò a été mis à contribution ?

— Il est souvent cité, mais qu'il mette une croix sur les honneurs, avec tous les gros bonnets qu'il y a aux commandes du conseil général, il ne lui restera que des miettes. »

Le commissaire laissa échapper un « L'enflure ! » entre ses dents : l'adjudant travaillait depuis longtemps en solitaire, mais avec le commissaire il jouait les naïfs ou avait beau jeu de répéter qu'il manquait de personnel.

« Souviens-toi que tu me dois une découverte importante pour ton enquête, prévint Angela d'un ton faussement menaçant.

— Et donc ?

— Et donc les dettes doivent être payées, commissaire, continua-t-elle, agacée. Ou bien tu préfères que je donne des informations aux carabiniers ?

— D'accord, se résigna Soneri, mais ne me demande pas des choses impossibles.

— Impossibles ? Des choses tout à fait possibles, au contraire : on les a déjà faites !

— Encore dans la péniche ?

— Ça m'a plu énormément.

— C'est trop risqué. La première fois on a eu de la chance, mais la deuxième…

— Tu ne comprendras jamais rien. Sans risque, il n'y a aucun plaisir. Prépare-toi, dès que j'aurai un peu de temps je viendrai percevoir mon dû. Il y a une date dont tu devrais te souvenir… Et je suis un receveur des impôts implacable, sans scrupules.

— Je te conduis en voiture près de la digue, le fleuve à nos côtés… »

Il entendit une sorte de hurlement :

« Tu ne sais penser qu'aux choses les plus banales. Ceux qui écrivent les blagues pour les Carambar devraient faire appel à toi. C'est l'antichambre de l'amour conjugal, le petit coup du samedi soir dans le grand lit aux draps fraîchement lavés. Laisse tomber, souffla Angela, je ne le ferai jamais entre tes horribles tables de nuit. »

En effet, cela ne s'était jamais produit. Il était arrivé une seule fois qu'Angela ait soudain voulu répéter la situation d'une nouvelle de Boccace, elle à la fenêtre en train de parler avec une amie en bas et le commissaire derrière elle, invisible depuis la rue.

Et plus tard, à la maison, dans la pénombre de ses appartements, il pensa que c'était malgré tout une chance de ne pas avoir aux trousses l'une de ces femmes collantes qui aspirent au rôle d'épouse. Peut-être était-ce pour cette raison qu'Angela lui plaisait.

Il se réveilla dans la même pénombre que le soir précédent. Le brouillard givrant avait transformé les arbres en dentelle blanche – la seule couleur vive qu'il apercevait dans le paysage urbain encadré par la fenêtre de sa cuisine. Après tout, avec cette chape recouvrant le ciel, il n'y avait pas de grande différence entre la faible lumière du jour et celle des réverbères éclairant la nuit : dans les deux cas, c'était comme un crépuscule boréal. Il but son café au lait dans l'obscurité, puis il médita sur ce qu'il devait faire. Les tuyaux des radiateurs, gonflés d'eau chaude, ce bruit liquide de digestion lui fit penser aux pompes de drainage. Avaient-elles tout asséché ? Quand il posa sa tasse dans l'évier, il avait déjà pris sa décision. Il voulait retourner sur le Pô et, à cette heure matinale, il ne trouverait même pas de circulation en traversant la ville.

Il appela Juvara alors qu'il était déjà au volant. Il lui ordonna d'aller à la morgue où, quelques heures plus tard, on ferait l'autopsie du corps d'Anteo Tonna. Il n'attendait pas grand-chose de l'examen : ce qui apparaissait en observant le cadavre ne devait pas être bien différent de ce que l'on obtiendrait en le disséquant. Il jeta son portable sur le siège passager et il se concentra sur la conduite. La basse plaine était complètement blanche. Le givre s'était accroché à toutes les aspérités en les épaississant et en les coloriant : un spectacle qui égayait comme la première neige.

Il passa sur la digue avec sa voiture et s'arrêta à l'endroit où, la veille, on avait tiré vers la rive Anteo. On voyait encore la tache plus sombre où le cadavre avait été posé. Le commissaire descendit, observa le lit d'inondation et vit qu'il restait seulement de grosses flaques d'eau recouvertes d'une couche de verglas. Le reste semblait épaissi par le froid qui avait endurci la boue telle une croûte. Ce n'est qu'à ce moment-là qu'il s'aperçut du silence. Le brouillard et la blancheur du givre le rendaient encore plus solennel. Les pompes de drainage avaient été arrêtées quand il n'y avait plus eu que de l'air à aspirer. Le froid glacial se chargeait d'achever le travail.

Il entendit arriver un tracteur sur le chemin de halage. Il dut le laisser s'approcher tout près pour distinguer l'un des habitants du lit d'inondation qui revenait nettoyer sa maison réduite à l'état d'une digue de boue. On recommençait, comme toujours, en redonnant vie aux cultures rendues fertiles par le limon, en recouvrant les routes de gravier frais et en ôtant le sable des portes et des murs.

Un peu plus tard, il se gara au cercle nautique. Il n'y avait encore personne et la porte close affichait une couleur triste de paille défraîchie. Il descendit de la voiture et rappela Juvara.

« Tu es à la morgue ?

— Oui, mais l'autopsie n'a pas encore commencé. Le médecin légiste a dit à neuf heures.

— Laisse tomber l'autopsie, lui dit-il, va plutôt à l'Institut historique de la Résistance et demande si l'on connaît un résistant du nom de Nibbio. »

Il sentit que Juvara était perplexe.

« Tu es là ? » l'interpella-t-il d'un ton plutôt brusque.

L'inspecteur se hâta de montrer qu'il était attentif en émettant quelques borborygmes.

« D'accord, réussit-il enfin à articuler, j'y vais. »

Mais à la manière dont il le dit, Soneri comprit qu'il n'était pas très convaincu et cela l'irrita. Il ne supportait pas ceux qui pensaient que leur journée était organisée une fois pour toutes dès le matin. Surtout dans un métier comme le sien. Il détestait les agendas. Il ne parvenait jamais à imaginer ce qu'il ferait une heure plus tard. Il vivait les moments sans penser au futur. Les faits s'enchaînaient selon une dynamique qui n'était presque jamais logique et il était inutile de faire des hypothèses parce que la perspective changeait tour à tour comme dans un vol acrobatique. Ses journées étaient une adaptation continue aux changements. Et ce matin-là sur les rives du Pô en était un exemple. Plutôt qu'un corps découpé en morceaux, il observait l'étiage qui avait refoulé l'eau dans le fond du grand sillon, si bas que le lit du fleuve lui apparaissait comme une gencive creuse dont on venait d'extraire une dent.

Il ne l'avait pas entendu arriver et, quand il se retourna, Barigazzi était immobile derrière lui au milieu de la cour.

« Autrefois vous arriviez bien avant au port, dit Soneri.

— Qu'en savez-vous ? rétorqua le vieil homme.

— Cela fait longtemps que des bateaux passent sur le fleuve. »

Barigazzi ne dit rien. Il se dirigea vers la porte du cercle nautique, prit une clé de sa poche et l'introduisit dans la serrure. Le commissaire resta dehors pour observer le courant : il se plaisait à imaginer où pouvait être San Quirico. Sur l'autre rive, avait dit Nanetti, si bien qu'il fixa son regard sur un lieu suspendu entre l'eau et le brouillard.

« Venez, il fait plus chaud ici », lui proposa la voix de Barigazzi en provenance du cercle nautique.

Soneri entra, en s'arrêtant devant un poêle en fonte dans lequel le feu crépitait déjà. À travers les fenêtres, on ne voyait pas la péniche, qui était descendue en même temps que l'eau.

Barigazzi le rejoignit et s'arrêta près de lui à quelques centimètres de la vitre.

« Là, en face, vous avez San Quirico », indiqua Soneri.

Le vieil homme demeura silencieux un instant.

« Il se situe plus en aval, devant Gussola, lui apprit-il.

— Combien y avait-il d'habitants ?

— Une quarantaine. C'était un hameau. »

Soneri pensa seulement alors au rapprochement qui l'avait inquiété sans qu'il en comprenne la raison :

le village était sous l'eau comme Anteo Tonna. Et tous les deux étaient morts.

« Un des habitants de l'époque est-il encore vivant ? »

Barigazzi le dévisagea avec méfiance. Il essayait de saisir le pourquoi de ces questions, mais il n'y parvenait pas.

« Quelques personnes ici ou là dans la basse plaine. Mais que des vieux. Le village était peuplé de gens bizarres.

— D'après ce qu'on m'a dit, ils étaient tous communistes. »

L'autre lui jeta un regard nerveux.

« Des types étranges, des gens de marais que l'eau avait rendus sauvages et la malaria, décimés, toujours au bord de la folie et qui se mariaient entre eux. Même le Parti fasciste les a laissés tomber, et l'assainissement des terres a mis à l'écart tout San Quirico.

— On peut voir les ruines maintenant ?

— Laissez l'eau baisser encore quelques jours et elles apparaîtront. Ça se passe toujours comme ça quand le fleuve descend. On dit que lorsque cela se produit, les nuits de brouillard, on entend encore les voix de ceux qui ont habité ces maisons. Mais c'est une légende. Peut-être s'agit-il du vent qui siffle entre les pierres déplacées par le courant. D'autres disent que c'est parce qu'à San Quirico on n'enterrait jamais les morts. On les jetait dans le fleuve à Gussola, une pierre accrochée à la taille. Tu es né dans l'eau, tu retourneras dans l'eau… »

Soneri se dit que ce n'était pas très différent de ce qui se passait probablement il y a bien longtemps le long du Pô. Des hommes mangés par les poissons et des poissons mangés par les hommes. Le cycle éternel de la matière se nourrissant d'elle-même. Et à ce moment-là il se souvint d'Anteo Tonna, maintenu sous l'eau par la pierre d'un pressoir. Mais, dans son cas, le fond du lit d'inondation était bas et provisoire ; les poissons qui s'y trouvent perçoivent au courant moins fort que l'eau va se retirer, et c'est pourquoi ils ne s'attardent pas.

« Ce n'est pas un hasard si l'assassin a voulu qu'on le trouve là », dit le commissaire en continuant à regarder vers la fenêtre où, sur la vitre, se superposaient le brouillard du Pô et le reflet à peine perceptible de son visage.

Il perçut que Barigazzi se retournait vers lui et l'observait, légèrement hagard, comme s'il délirait. Mais Soneri regardait toujours l'horizon restreint du fleuve, qui depuis plusieurs jours voyait s'estomper la ligne de démarcation entre ciel et terre. Il lui semblait évident que l'assassin avait une certaine familiarité avec les symboles. Consciemment ou non, tout le monde en avait une. Tout homicide prémédité suivait le rituel d'une mise en scène. Puis il y avait des acteurs qui jouaient bien leur rôle et d'autres, beaucoup moins. Le plus difficile était de démasquer les premiers.

À quelle catégorie appartenait celui qui avait tué les frères Tonna ? Il se le représentait effronté et déterminé. Personne n'aurait projeté un meurtre dans un couloir d'hôpital avec les risques que l'on pouvait courir. Il y avait par ailleurs ce cadavre dans le lit d'inondation, déposé là pour qu'on le retrouve près de la stèle des résistants. Un assassin ordinaire ou un professionnel du crime l'aurait jeté dans les fonds sableux de Gussola, une pierre accrochée au ventre comme dans les rites funèbres de San Quirico. De nombreuses choses semblaient ne pas coller et d'autres, au contraire, semblaient lui parler, mais dans une langue encore intraduisible.

Son portable le sortit de ses réflexions.

« On l'a tué le jour de sa disparition, entre huit et dix heures du soir, l'informa Nanetti, sans le saluer.

— Donc la péniche est partie sans lui.

— Absolument, confirma son collègue, une mise en scène pour faire croire que les choses se sont passées différemment.

— A-t-il autre chose à part le coup à la tête ?

— Rien. Le reste du corps est intact. C'était un homme encore vigoureux, malgré son âge. »

Donc le matin il avait tué Decimo et le soir Anteo. L'assassin devait bien connaître ses deux victimes. Il devait surtout savoir que le batelier, toujours dans sa péniche, n'apprendrait pas à temps la mort de son frère pour prendre ses précautions. Du reste, les deux n'avaient que des rapports sporadiques et Anteo était un homme habitué aux menaces.

Barigazzi avait allumé la radio, mais en période d'étiage ceux qui surveillaient les digues n'avaient rien à se dire. Dans le silence perturbé seulement par le léger bourdonnement du haut-parleur, il entendit le déclic de la porte. Dinon Melegari apparut dans l'embrasure et, dès qu'il vit le commissaire, il haussa un instant les épaules comme pour se retirer et revenir sur ses pas. Puis il se décida à entrer de mauvais gré, en dirigeant son regard au-dessus de la tête de Soneri, à la recherche de Barigazzi. Et vu que le commissaire le fixait en l'interrogeant du regard, l'homme fit un geste rapide de l'index en direction du vieil homme. Ce dernier le considéra d'un air surpris. Ensuite, une sorte de complicité passant par les yeux s'établit entre les deux.

« Je suis venu pour les barques, déclara Melegari. Avec cette baisse des eaux, j'ai pensé qu'il vaudrait mieux les mettre au sec. Le treuil marche, hein ?

— Tu as eu une bonne idée : les coques sont ensablées. »

Dinon était gêné, et Barigazzi également, mais il était plus habile pour n'en rien laisser paraître.

« Tu prends un verre de vin blanc ? »

Melegari hocha la tête pour dire oui, imité par le commissaire. Ils se retrouvèrent, ainsi, à trois autour de la table alors qu'un silence sans issue, pareil au froid glacial sévissant dehors, figeait la conversation.

« Les bras morts vont geler ? » demanda Soneri.

Les deux autres se regardèrent, en se consultant pour savoir qui allait devoir répondre.

« Seulement si le froid dure une semaine. Sous les berges donnant vers le nord », grommela Barigazzi, qui lança un coup d'œil à Melegari dans lequel le commissaire perçut un message dans cette langue sans paroles utilisée par les joueurs de cartes.

Mais il s'obstinait à rester assis à cette table, en posant de temps en temps des questions distraites sur le Pô, l'étiage et les bateaux. Au bout d'un moment, Dinon se leva en heurtant presque de sa tête le lampadaire qui pendait au-dessus de la table.

« Je vais jeter un œil à la barque. »

Une fois qu'il fut sorti, Soneri s'adressa à Barigazzi :

« Une visite surprenante. »

Le vieil homme n'ouvrit pas la bouche. Il se leva à son tour et emporta la bouteille. Puis il revint prendre les verres.

« La gauche s'est ressoudée », insista le commissaire.

Le vieil homme haussa les épaules.

« De temps en temps, il passe par ici. Il doit de toute façon nous informer de ce qu'il fait au port. C'est le règlement qui le dit. Et puis il paye une taxe pour sa barque », minimisa-t-il.

Le commissaire se leva. Il lui semblait inutile d'insister. Il lui suffisait d'avoir compris que Melegari était venu pour parler au vieil homme. Peut-être de choses qui concernaient aussi les Tonna. Il percevait une méfiance croissante à son égard et cela lui faisait comprendre qu'il s'approchait de quelque chose d'important.

Il s'en alla en faisant un signe à Barigazzi et il parcourut la route recouverte de gravier qui menait au port, où était restée amarrée la moitié des barques. Sur une grosse Magana, il vit Melegari en train d'évaluer la ligne de flottaison avec une rame. L'homme le vit également, mais il fit semblant de rien.

Soneri traversa le fleuve à Torricella, puis il se trompa de chemin, mais il finit par arriver à Gussola à l'heure du déjeuner. Passer d'une rive à l'autre ne changeait pas grand-chose. Mêmes maisons basses alignées, mêmes églises au baroque sanguin typique de la plaine du Pô. Juvara le détourna de la contemplation d'une sorte de cathédrale en briques couleur salami, sur lesquelles devait s'être déposé un demi-siècle d'humidité.

« Aucun Nibbio dans notre basse plaine, dit-il. Il y en a deux qui ont combattu sur les Apennins le long de la ligne gothique. »

Soneri demeura silencieux quelques instants.

« Épluche les archives des Instituts historiques de la Résistance de Mantoue, Crémone et Reggio Emilia. Ce Nibbio a certainement été quelque part.

— Est-ce que je peux d'abord regarder sur Internet ?

— Fais ce que tu veux, s'emporta le commissaire. Si ça se trouve, l'assassin apparaîtra sur l'écran », conclut-il, caustique.

Plus que la paresse de Juvara, l'invasion de ces nouvelles méthodes d'investigation l'énervait. Il sentait qu'elles représentaient une obscure menace. Mais, au fond, il savait que c'était la crainte de constater qu'il était en dehors du coup qui le blessait. À son âge, c'était devenu un sujet délicat.

Il s'assit à la table d'un restaurant sans prétention, qui promettait cependant de l'âne en daube s'annonçant tout à fait alléchant. La télévision parlait de ce que les journalistes appelaient désormais « le mystère du Pô ». Un parterre de camionneurs, de voyageurs de commerce et de courtiers observaient l'écran avec grand intérêt, en oubliant de manger. Et à ce moment-là, Soneri commença à éprouver le malaise de ne pas être où il aurait dû. Il voyait le préfet de police derrière un micro, quatre agents portant un plastron, endossé seulement pour les caméras, sur lequel était écrit en gros « police », et un peloton de journalistes munis de leur carnet. Et lui, il était dans une auberge de campagne qui n'avait rien à voir avec l'enquête, sur une berge du Pô plongée dans le brouillard, occupé à chercher un village fantôme englouti par les eaux. Il fut envahi à nouveau par ce sentiment d'insécurité dû à son éternelle excentricité. Mais peut-être était-ce précisément pour cette raison que souvent il voyait les choses sous le bon angle.

La berge du fleuve était désormais une sorte de longue grève parsemée des restes de crue. Il s'approcha pour mieux voir si sur le fil de l'eau affleurait une pierre, premier écueil du village englouti. Sans doute était-il trop tôt. Barigazzi avait dit qu'il faudrait encore quelques jours de gel pour faire descendre le niveau de l'étiage. Soneri traversa l'étendue de sable où il vit d'anciennes traces de pas alignées et des empreintes de chiens errants à la poursuite de vagues odeurs laissées par l'eau.

On devinait la présence de fonds irréguliers à l'endroit où devaient se trouver les ruines de San Quirico. La surface de l'eau s'agitait, tourbillonnait en formant des remous et se hérissait comme un reptile paresseux. Il s'arrêta pour regarder un instant dans la solitude la plus profonde. Puis il pensa que s'il voulait donner un sens à son vagabondage, il aurait dû se déplacer vers l'intérieur et demander des renseignements maison par maison, en défiant la colère des chiens de garde.

Le nouveau village de San Quirico était bien pire que ce qu'il avait imaginé : il aurait préféré posséder une maison sous l'eau plutôt que l'un de ces pavillons anonymes ayant vieilli avant l'heure dans le brouillard. Un lieu absurde, qui n'avait aucun centre, construit à la va-vite, à cheval sur une route morte. Il erra pendant quelques minutes au milieu d'habitations closes, où des baraques au toit en tôle rouillée abritaient un bric-à-brac évacué des maisons des villes. Le hameau semblait complètement désert. Mais au moins une demi-douzaine de chiens aboyaient dans le brouillard sans que l'on comprenne où ils étaient. Pendant dix minutes, il ne trouva pas âme qui vive, jusqu'au moment où il aperçut une maison basse dont le jardin était recouvert d'un toit en cellophane pour le protéger du froid, avec un abri à bois sous un balcon. En face, derrière une baie vitrée dont le châssis était en aluminium doré, se trouvait un vieillard qui regardait la route, assis sur un banc en bois. Il portait un paletot épais et il s'appuyait de ces deux mains sur sa canne.

Il devait être là depuis longtemps, mais on ne comprenait pas ce qu'il regardait, si ce n'est le brouillard qui continuait à déposer sa pellicule de verglas.

Soneri fit un geste de la main, mais le vieillard ne bougea pas. Il sonna et l'homme, alors, se tourna vers la porte pour s'assurer qu'à l'intérieur on avait bien entendu. Un roquet, qui dormait probablement derrière la maison, vint vers le commissaire en grognant. Ce dernier patienta quelques instants. Dans une pièce, une lumière s'alluma, tandis que le vieil homme demeurait immobile comme dans une vitrine. La porte d'entrée s'ouvrit et une femme âgée apparut. Elle parla à l'homme, qui eut une sorte de sursaut et se leva. La porte-fenêtre de la véranda s'ouvrit et le commissaire se présenta.

« Il ne voit pas bien, dit pour l'excuser la vieille femme en indiquant son époux. Il a la cataracte. »

Dans la maison, la chaleur sèche d'un feu de bois l'accueillit et les yeux du vieillard commencèrent à le suivre en captant sa voix pour intercepter son regard.

« Je cherche quelqu'un ayant habité à San Quirico, sur le Pô », expliqua le commissaire.

Le vieil homme hocha la tête et son épouse ajouta qu'il était meunier.

« Quand êtes-vous partis ?

— Juste après la guerre, lorsqu'ils ont commencé la bonification.

— Les fascistes vous avaient exclus de la campagne d'assainissement...

— Ils savaient qu'on souffrait et ils nous ont laissés le cul dans l'eau.

— Ça vous a contrariés de venir ici ?

— Non, répondit promptement l'épouse, on vit plus dignement ici.

— On ne voit pas le Pô », ajouta avec regret le vieil homme.

Soneri devina que la cataracte et le brouillard l'obligeaient à imaginer les berges du fleuve, les lits d'inondation, les bras morts et même les poissons lors des après-midi solitaires passés dans cette véranda.

« Tout le monde était communiste à San Quirico ?

— La plupart », répondit l'homme, alors que ses pupilles cessèrent d'errer et se baissèrent vers le sol.

Le silence se fit dans la cuisine, désormais plongée dans la pénombre, la meilleure condition pour les malades affectés de cataracte. Le commissaire se sentait gêné de demander des renseignements imprécis à deux vieillards qui n'avaient pas envie de raconter un triste passé. Mais, tout à coup, c'est la femme qui l'aida. En brisant l'immobilité silencieuse des échanges de regards, elle déclara :

« Et nous l'avons payé cher. »

Les fascistes, il ne pouvait s'agir que d'eux.

« Que vous ont-ils fait ?

— Représailles, rafles. Heureusement, on les entendait toujours arriver et on s'enfuyait vers le Pô. Parfois ils incendiaient des maisons. Mais il n'y avait pas grand-chose à brûler. À la mienne aussi, ils ont mis le feu. On est arrivés juste à temps. On ne manque pas d'eau, ici.

— Il y avait des résistants parmi vous ?

— Oui, mais ils restaient à bonne distance pour ne pas compromettre leurs familles. Il n'y avait plus que femmes, vieux et enfants. »

Le vieillard essayait de regarder le commissaire, mais ses yeux le rataient, en s'échappant vers les hauteurs du plafond, trompés par les ombres.

« Il n'y a pas eu beaucoup de morts, donc ? » demanda Soneri d'un ton évasif, en pensant à comment devait être San Quirico flottant sur l'eau : un écheveau de pierres grises à la merci du courant.

« La misère en a fait davantage », intervint le vieil homme.

Un nouveau silence s'ensuivit, comme plus profond dans cette maison aux faibles lumières, opprimée par une obscurité de cave. Lorsqu'il devint pesant et que Soneri sentit que l'absence de mots équivalait à un congé, l'homme ajouta alors :

« Le plus grave, ça a été quand ils ont brûlé la maison des Ghinelli et que les femmes… »

Il se tut en plein milieu de la phrase, avec une expression embarrassée. Son épouse tressaillit, puis, d'un geste brusque, elle tourna son visage de côté, aux prises avec la résurgence de l'horreur que la mémoire avait fait remonter.

« C'était un résistant ? demanda Soneri.

— Il a été tué dans la province de Parme, en novembre 1944 je crois.

— Et les femmes ? »

Les vieux se regardèrent et, dans les yeux de la femme, Soneri perçut comme un reproche. Le souvenir de ces événements devait être douloureux ; ils étaient arrachés à un temps lointain qui les avait enveloppés dans une étoffe bitumeuse profondément enfouie.

« On les a... répondit le vieillard avec désarroi, comment dit-on ? Utilisées. Ils étaient nombreux. L'une d'elles n'a pas supporté la honte et s'est jetée dans le Pô, dans les remous de Gussola. Les autres sont parties et plus personne ne les a revues ici.

— Pourquoi auraient-elles dû rester ? intervint la vieille femme. Leur maison était détruite, et le peu qu'elles avaient s'en est parti en fumée.

— Et leur frère résistant ?

— Un homme courageux qui n'avait pas de scrupules. Toujours prêt aux actions les plus téméraires. Mais après la guerre, on n'a plus entendu parler des Ghinelli.

— L'un des résistants de San Quirico s'appelait-il Nibbio ? »

Le vieil homme leva lentement les yeux à la recherche du visage de Soneri, mais il se trompa encore de direction et son regard rencontra l'ampoule, ce qui le contraignit à détourner le visage. Puis, paumes vers le haut, il écarta ses mains calleuses comme une croûte d'argile.

« Des noms, il y en avait tellement... Ceux des Groupes d'action patriotique en changeaient souvent... »

On entendit une voiture traverser la cour. Il semblait impossible que quelqu'un puisse désirer revenir le soir dans un pareil lieu. Puis apparut un homme entre deux âges, plutôt trapu, dégageant une odeur de fer et de cambouis.

« Mon fils », dit la vieille femme.

Le commissaire les observa, en éprouvant une sensation de solitude plus grande encore. Deux vieux avec un fils célibataire qui allait finir par rester seul et vieillir dans un endroit comme celui-là. Personne n'avait misé un sou sur San Quirico. Lorsqu'il les salua, ils sortirent tous les trois dans la véranda au châssis d'aluminium doré sous laquelle le vieillard regardait quelque chose qui n'existait pas. De la fenêtre de la voiture, il les observa encore tous trois avant que le brouillard ne les engloutisse.

La nuit arriva rapidement cependant qu'il essayait de trouver son chemin. Finalement, il décida de retourner à la préfecture de police en suivant un gros camion. Lorsqu'il entra dans son bureau, Juvara le fixa d'un air surpris.

« Vous avez coupé votre portable pour éviter les journalistes ? »

Soneri sortit son appareil et constata qu'il était éteint.

« Tu essaies depuis longtemps ?

— Depuis trois heures », répondit timidement Juvara.

Le commissaire aurait voulu s'excuser, mais il bafouilla et y renonça.

« Je tenais à vous faire savoir, ajouta avec hésitation l'inspecteur, que j'ai trouvé qui était Nibbio.

— Où ?

— À l'Association nationale des résistants d'Italie de Mantoue : il était de Viadana. Il faisait partie de la Brigade Garibaldi.

— Quel était son vrai nom ?

— Gorni Libero. Il est né en 1924 et il est mort à vingt ans.

— Où ? »

Juvara lisait sur son carnet en sautant des lignes.

« Capturé au cours d'un combat sur la rive droite du Pô, dit-il en identifiant les notes qu'il cherchait et en les répétant comme il les avait recopiées, dans la province de Parme près de Torricella ; il a été fusillé quatre jours plus tard à Sissa, malgré une tentative pour le sauver par un échange de prisonniers.

— Rien d'autre ?

— Lors de l'échange de coups de feu, deux résistants sont tombés : Ivan Varoli et Spartaco Ghinelli.

— Rappelle le siège de Mantoue et demande si ces deux derniers ou les autres membres de la patrouille de résistants avaient des proches qui combattaient. Demande s'ils sont encore vivants et où ils se trouvent. »

Assis devant le bureau du commissaire, son gros ventre coincé entre les bras de la chaise, l'inspecteur fixa son chef avec perplexité.

« Vous ne pensez quand même pas… balbutia-t-il. Cinquante ans ont passé… »

Soneri ne répondit pas. Lui aussi avait des doutes.

« C'est à cause de ce mot. Celui qui parlait de Nibbio. Il doit bien avoir un sens.

— Peut-être », répliqua Juvara sans grande conviction, en se levant de sa chaise non sans effort.

Dès que Soneri fut seul, le téléphone sur son bureau sonna. Il souleva le combiné avec agacement, avant d'entendre la voix du préfet de police. L'œil des caméras devait avoir eu sur lui le même effet que les amphétamines. Son ego avait enflé et il jaillissait désormais de sa bouche par vagues sous forme de cercles de rhétorique éculée, aussi épais qu'une couverture au crochet. À la fin arrivèrent les félicitations pour Soneri, davantage pour lui avoir laissé le premier rôle que pour l'intuition d'avoir enquêté le long des rives du fleuve.

Lorsqu'il raccrocha, il aurait dû être content ; il se sentait découragé, au contraire, tant il devinait encore éloignée la fin de l'histoire. Il alluma un cigare et essaya de se calmer. Mais au même moment l'*Aïda* retentit à nouveau. Il demeura un instant avec le portable dans la main, hésitant, jusqu'au moment où la musique lui écorcha à tel point les oreilles qu'il décida d'appuyer sur le bouton.

« Commissaire, je suis prête à percevoir mon dû.

— Angela, on ne pourrait pas passer une soirée en ville ? Je peux t'inviter à dîner.

— Cela faisait longtemps que tu ne m'avais pas appelée par mon prénom. Dommage que les seuls endroits que tu connaisses soient des restaurants. Tu mesures les distances en auberges plutôt qu'en kilomètres.

— Nous pouvons aller dans un restaurant macrobiotique ou végétarien.

— Non, je veux être sur l'eau. »

Il était impossible de lui faire changer d'idée. Ils se disputeraient et il n'avait pas envie d'entendre des critiques corrosives : il était déjà suffisamment ulcéré.

« Avant dix heures, il y aura du monde au cercle nautique : on a le temps de manger.

— Non, tu sais que j'aime le risque.

— Allons-y avec ta voiture : on connaît trop bien la mienne. »

Marcher sous les arcades du village, le long des rues les moins fréquentées pour passer inaperçus, lui donnait l'impression d'être adolescent. Angela se déplaçait sur la pointe des pieds pour éviter de faire du bruit avec ses talons, en s'agrippant à lui.

« Prépare-toi aux réprimandes, prévint-elle en lui parlant à l'oreille.

— Tu ne m'en as pas infligé assez ?

— Les miennes sont bienveillantes. Tu sais que j'aboie beaucoup mais que je ne mords pas. Je voulais dire celles de tes supérieurs.

— Le préfet de police vient de me féliciter.

— Tu l'entendras quand les carabiniers feront les gros titres des journaux pour l'opération contre les clandestins… J'ai entendu le ministère public qui s'occupe de l'enquête parler dans le couloir avant une audience… C'est du lourd, manifestement. »

Soneri émit une sorte de grognement et maudit le moment où il s'était laissé aller aux confidences avec Aricò. Angela le comprit et le serra plus fort. Puis elle l'obligea à s'arrêter en le fixant droit dans les yeux.

« Tu es sûr de la piste que tu es en train de suivre, pas vrai ?

— Je ne sais pas. À ce stade, je ne peux pas encore l'être.

— Si tu dis ça, ça veut dire qu'au fond tu l'es », répliqua-t-elle en lui adressant une chiquenaude.

Quand ils arrivèrent à proximité de la digue, ils montèrent sur le sommet en se tenant à l'écart de la cour. Au fond, auréolé de brouillard, le cercle nautique diffusait une lumière jaune de ses fenêtres derrière lesquelles on devinait des ombres noires. Ils descendirent en longeant la route du côté le plus éloigné. Ils s'immobilisèrent quand la porte du cercle s'ouvrit un instant et que Gianna secoua un torchon en tendant le bras depuis l'intérieur. Puis ils descendirent vers le quai. Cette fois, le terrain était gelé et la péniche était descendue davantage. La passerelle pendait dangereusement vers le bas.

Ils passèrent de la couchette du commandant à celle du second. Ensuite, Angela voulut essayer dans la cabine de pilotage. À la fin, ils commencèrent à avoir froid et ils se rhabillèrent. Soneri regarda sa montre et il s'aperçut qu'elle indiquait presque une heure du matin. Lorsqu'il monta sur le pont et se retrouva sur la passerelle, il vit trois hommes passer sur le quai. À sa démarche, il reconnut Barigazzi. Près de lui, Dinon, que distinguait sa taille imposante. Le troisième, il ne parvint pas à l'identifier. Il était plutôt grand et marchait en balançant légèrement la tête. Ils se dirigeaient vers le chemin de terre qui conduisait au port, le long duquel avaient été construites de petites maisons sur des colonnes semblables à des pilotis.

« On est coincés », dit Soneri à Angela en faisant un signe du menton en direction des pontons.

Et il la regarda avec un air de reproche bienveillant.

« Ne me dis pas que ça n'en valait pas le coup, rétorqua-t-elle sur un ton menaçant. Si tu résous cette affaire, c'est grâce à moi », ajouta-t-elle en s'approchant de lui pour se réchauffer.

Soneri réprima son irritation à ce contact : il ne supportait pas d'avoir quelqu'un sur le dos quand il réfléchissait. Et, à cet instant, il imaginait ce que pouvaient bien faire ces trois hommes, mais dans sa tête il n'y avait que le brouillard dans lequel ils avaient disparu. Le troisième homme en compagnie de Dinon et Barigazzi pouvait-il être Vaeven Fereoli ?

« Je vais voir », décida-t-il d'un mouvement brusque dû en partie à l'agacement éprouvé au contact d'Angela.

Elle le retint en le saisissant par le bord de son Montgomery.

« Je crois qu'il vaut mieux que tu ne bouges pas », affirma-t-elle en indiquant la route du regard.

Les silhouettes de deux personnes se profilèrent lentement à environ vingt mètres d'eux. Le commissaire appuya sur la tête d'Angela pour la cacher, même si on aurait difficilement pu les apercevoir derrière une fenêtre avec ce brouillard et la seule lumière du fanal. Quand les ombres passèrent à quelques mètres de la péniche, Soneri vit Dinon et Barigazzi seuls, marcher silencieusement l'un près de l'autre avec l'indifférence des poissons évoluant en banc. Ils passèrent sans hâte et prirent l'escalier qui menait à l'entrée du cercle nautique.

L'autre homme devait être resté dans l'une des guérites de pêcheurs situées sous la digue.

« Tu vois que ça en valait la peine ? » commenta Angela avec une ironie malicieuse en se baissant à nouveau.

Alors Soneri l'étreignit, ce qui se produisait rarement.

10

Juvara lui avait rempli la tête de confusion. Nibbio, alias Libero Gorni, avait été fusillé par les fascistes à Sissa, le 23 novembre 1944. Dans l'échange de coups de feu sur les bords du lit d'inondation du Pô étaient morts Ivan Varoli et Spartaco Ghinelli, l'un des Ghinelli de San Quirico, ceux dont les Chemises noires avaient brûlé la maison et violé les femmes.

« Ça, c'est clair, n'est-ce pas? » demanda Soneri à l'inspecteur qui feuilletait un tas de documents avec de nombreuses notes écrites en petit, dans la marge.

Juvara hocha la tête, en continuant à consulter ses papiers. Puis il en saisit un comme s'il le cherchait depuis des jours. Le commissaire entendit à nouveau les phrases qu'il lui avait lues la veille, consistant en une sommaire reconstitution de la bataille. À la fin, il écouta la description faite par les résistants qui avaient ramassé les cadavres : « ... les deux victimes étaient si défigurées par les balles et par des armes tranchantes qu'elles n'ont pu être identifiées par leurs camarades que grâce aux objets qu'elles portaient sur elles. Varoli possédait de faux papiers en tant que membre des Groupes d'action patriotique. Les Chemises noires s'étaient acharnées sur elles avec férocité, à la hauteur de la crainte qu'inspirait la Brigade Garibaldi… »

« Tu as vérifié si Ghinelli et Varoli ont des proches encore vivants ?

— Le frère et la sœur de Ghinelli sont morts. L'une s'est suicidée dans le Pô, l'autre est mort en Amérique du Sud.

— Et Varoli ? Et les parents de Nibbio ?

— Varoli… Varoli… répéta Juvara en cherchant à nouveau dans ses papiers. Voilà ! Une sœur décédée à Turin il y a sept ans. Gorni, c'est-à-dire Nibbio, n'avait pas de famille : il a été élevé par les Sœurs de l'Enfant Jésus, avant qu'on ne l'envoie travailler comme commis à onze ans. »

Soneri pensa à quel point la vie était dure et à quel point elle avait été peu généreuse avec un garçon privé d'affection et mort à vingt ans. Mais aussitôt après lui vint à l'esprit l'impasse dans laquelle se retrouvait l'affaire. Si le meurtre de Nibbio était le précédent obscur de l'assassinat des Tonna, qui pouvait s'être souvenu et vengé de ces événements si tout ce petit monde était déjà dans l'au-delà ? Et dans l'au-delà se trouvaient aussi les faits divers de ces derniers jours. La mémoire ensevelie par l'ignorance et un bien-être frivole et sot. Mourir à vingt ans avait-il eu un sens ?

Il s'aperçut que Juvara le regardait fixement, mais par bonheur il ne lui posait jamais cette insupportable question : Qu'avez-vous ? À quoi pensez-vous ? Ensuite, il cessa de ruminer et il revint aux faits.

« Ils ont des petits-enfants ?

— Trois petites-filles Varoli, cinq petits-fils, dont deux garçons, Ghinelli.

— Que font-ils ? Où vivent-ils ? demanda Soneri avec impatience, en obtenant que Juvara compulse plus rapidement ses papiers.

— Des métiers ordinaires. L'un des deux petits-fils vit en Suisse depuis quarante ans, l'autre est mort dans un accident de la route il y a douze ans. »

Le commissaire eut le sentiment que toutes ces questions et les réponses exhaustives de l'inspecteur n'aboutissaient à rien de plausible. On aurait dit que les crimes avaient été commis par quelqu'un pour qui le temps s'était arrêté, comme cela s'était produit pour les frères Tonna.

Il ouvrit le journal tandis que ses pensées rebondissaient d'une contradiction à l'autre. La première page des faits divers était entièrement occupée par les développements de l'enquête menée par Aricò et par les carabiniers de trois provinces : « Le trafic de clandestins à l'origine de l'affaire Tonna ? » hasardait le titre. Il lut les déclarations du commandant des carabiniers et de quelques magistrats convaincus qu'il s'agissait de la bonne piste. Il sentit se profiler les ennuis annoncés par Angela. Le préfet commencerait à hésiter et il serait le seul en définitive à défendre une enquête qui déboucherait sur quelque chose d'improbable, sur les circonstances mystérieuses de décès dont personne ne se souvenait plus.

Juvara le vit passer dans le couloir d'un air si résolu qu'il n'eut pas le temps de l'arrêter. Lorsqu'il réussit à s'extraire de sa chaise et à contourner le bureau, le commissaire avait déjà disparu.

Peu après, alors qu'il voyageait dans le brouillard, Soneri essaya d'imaginer ces cadavres mutilés par les balles et défigurés par des armes blanches. Les fascistes avaient dû s'acharner sur eux après le combat, pour leur faire outrage et se venger. Peut-être les cherchaient-ils depuis longtemps pour réparer un affront. Peut-être était-ce justement Tonna qui les guidait, lui qui connaissait le Pô sur le bout des doigts.

Son portable sonna. La voix de Juvara était hésitante, comme chaque fois qu'il devait recourir à ce moyen de communication détesté par le commissaire.

« Tout à l'heure, j'ai vu que vous partiez, mais je n'ai pas eu le temps…

— Le jaillissement n'a jamais été ton point fort.

— Euh… je voulais vous dire une chose. Un détail, juste pour compléter le tableau d'ensemble.

— Quoi ?

— Lors du combat, trois fascistes de la République de Salò sont morts, mais le cadavre de l'un d'eux, originaire de Brescia, n'a jamais été retrouvé. On suppose qu'on l'a jeté dans le Pô et que son corps a fini par s'enliser ou par être dévoré par les poissons. »

Soneri conduisait dans le brouillard et réfléchissait. La bataille entre les berges avait eu lieu à la mi-novembre. Au début du mois, les fascistes avaient incendié les maisons à San Quirico… Et puis ce cadavre volatilisé… Ce trafic de faux papiers entre les membres du Groupe d'action patriotique, les morts défigurés à coups de couteau… « Une affaire mystérieuse », comme l'avaient définie les témoignages des résistants quelques années plus tard, dans la tentative de reconstituer ce qui s'était passé le long du Pô, sans doute par un jour de brouillard comme celui-là.

Sur son chemin, il vit les indications pour San Quirico et il tourna alors pour prendre la route étroite suspendue au-dessus de la campagne entre deux fossés. Il trouva le vieil homme dans la même position que la dernière fois, comme s'il n'avait plus bougé. Il regardait encore devant lui, les deux mains posées sur sa canne. Son épouse vit le commissaire et ouvrit le portail sans saluer. Lorsqu'il fut près de l'homme, celui-ci s'aperçut de sa présence et commença à explorer l'espace en le cherchant. Au moment où Soneri s'assit à ses côtés, il tourna à nouveau le regard vers le brouillard. La vieille femme les observa un moment en silence, puis elle se retira discrètement.

« Vous rappelez-vous la bataille de 1944, entre les digues ? »

Le vieil homme leva brusquement un bras : il était évident qu'il se la rappelait.

« A-t-on jamais su avec certitude ce qui s'est passé ?

— Il n'y a que ceux qui y étaient qui peuvent le savoir. Mais ils sont morts.

— En avez-vous parlé par le passé ?

— On en a parlé, oui, répondit l'homme en continuant à fixer le brouillard. Comment voulez-vous qu'on n'en ait pas parlé ? Le jour de la Fête des Morts, les fascistes avaient mis le feu aux maisons de San Quirico et les Chemises noires sillonnaient la basse plaine comme en terrain conquis. Les gens accusaient les résistants de s'être cachés comme des lapins. Et alors Ghinelli et les autres ont décidé de le leur faire payer.

— Une embuscade ?

— Le long de la digue dans les environs de Torricella. Ils auraient eu le Pô pour se retirer et les maquis du lit d'inondation pour se cacher. Ils connaissaient bien les lieux.

— C'est Ghinelli qui commandait ?

— C'était le plus résolu. C'est lui qui a voulu tendre l'embuscade. Le commandement n'était pas d'accord car cela allait exposer les civils aux représailles. Et puis c'était risqué.

— Pourquoi ont-ils été défigurés ? »

Le vieillard leva les mains comme il l'avait fait la première fois, en lâchant sa canne qui retomba sur lui.

« Personne ne peut le savoir, personne n'a jamais trouvé d'explications. Peut-être qu'avec Ghinelli et les autres il y avait des comptes à régler depuis longtemps. De la haine ajoutée à la haine. Mais aucune Chemise noire n'a jamais admis s'être acharnée sur les corps. Et puis il y avait le brouillard, comme aujourd'hui. Parfois il te sauve, parfois il te condamne. Comme la vie : on ne sait jamais ce qu'elle te réserve. Pour le pauvre Gorni, les choses se sont mal passées. Il s'était détaché de son groupe et il revenait à pied sous la digue. Ils sont sortis de nulle part.

— C'est lui, Nibbio ?

— Moi je pensais qu'il s'appelait "Freccia", mais les résistants, ici, changeaient souvent de nom. »

Ils restèrent silencieux quelques minutes. Après avoir prononcé la dernière phrase, le vieil homme avait eu un geste des mains pour indiquer une certaine confusion. Ce qui incita le commissaire à demander :

« Et du fasciste évaporé dans la nature, vous n'avez plus eu de nouvelles ? »

L'homme secoua la tête.

« Un homme de Brescia... se borna-t-il à dire. Peut-être, ajouta-t-il peu après, avait-il été blessé, et en fuyant il a dû tomber dans le Pô. Ce sont des montagnards et ils se noient facilement.

— Mais le cadavre n'a jamais été retrouvé...

— Le fleuve, d'habitude, rend toujours ce qu'il prend. Mais ici on dit que celui qui ne sait pas nager de son vivant ne flotte pas non plus quand il est mort. »

Soneri essaya d'imaginer ce qui passait par la tête du vieil homme. Ce qu'il voyait dans ce brouillard qu'il fixait pendant ses journées tel un écran sur lequel était projeté le film nostalgique de ses années perdues.

« Peu sont ceux qui savent ce qui se passe dans le brouillard, déclara-t-il. Et il faut voir si ces rares personnes ont envie d'en parler. Dans cette affaire, le débat est clos. »

Ce n'était pas la première fois que Soneri se trouvait face à l'irrémédiable. La mort est la plus inébranlable des réticences.

« Sans doute est-ce pour ça qu'il y a tant de rumeurs... » dit-il en guise de commentaire.

Le vieillard répéta le geste brusque de la main qu'il avait fait précédemment.

« On dit même que certains de ceux qui étaient là ne sont pas morts », lança-t-il histoire de dire quelque chose.

L'hypothèse sembla séduisante aux yeux de Soneri, mais c'était à nouveau son imagination qui travaillait.

Pas autant pourtant que celle du vieil homme qui, dès qu'il cessait de parler, se remettait avec une sorte d'avidité à considérer la grisaille vide qui lui faisait face. Soneri fit en sorte de se passionner à son tour pour cette pellicule imaginaire en fixant l'espace qui se dressait depuis les toits bas des maisons situées devant lui jusqu'à une profondeur insondable derrière laquelle il était possible d'entrevoir aussi bien tout que rien. Il s'efforçait de se représenter ce qui pouvait être arrivé sous la digue principale, dans cette terre confisquée à l'eau où tout apparaît provisoire.

La bataille, des ombres qui visent d'autres ombres. Les coups de fusil tirés au hasard sur des fantômes de la consistance de l'air ou presque. La conscience des moribonds qui tombaient sans connaître leur assassin et, pour finir, les fuites dans tous les sens en cherchant refuge dans ce même brouillard ayant favorisé l'embuscade. Puis le silence après un long écho des coups de feu dans l'humidité qui les étouffe. L'ennemi que l'on entendait dans chaque bruissement, les cadavres sur lesquels on trébuchait soudain, taches plus sombres dans un monde de vapeurs dansantes. Tout pouvait être arrivé. Même que quelqu'un ne soit pas mort, et dans ce cas… Dans ce cas, peut-être que cet acharnement sur les cadavres pouvait ne pas être attribué à la vengeance fasciste. Mais qui aurait pu soutenir le contraire après avoir vu le cadavre de Nibbio supplicié par des tortures décrites avec minutie dans les récits des résistants ? Les yeux enfoncés par les coups de poing, le visage bouffi et terreux comme un coing d'une couleur grenade évoquant le boudin. Et puis les brûlures, les ongles arrachés, les testicules réduits à l'état de grumeau sanguinolent.

Certes, personne n'avait été reconnu. Il avait fallu que soit consulté tout le détachement de la Brigade Garibaldi pour décider à qui appartenaient ces corps. En un mois, les brochets n'auraient pas fait pire. Par ailleurs, il y avait la disparition de cet homme de Brescia. Un cadavre ayant disparu sans laisser de trace était par définition une affaire non résolue. Soneri pensait à tout cela quand il se tourna légèrement vers le vieil homme et qu'il le vit concentré sur l'indéfectible grisaille.

« Selon vous, comment se sont déroulés les événements ?

— Ça m'a toujours paru bizarre.

— Vous ne croyez pas que les Chemises noires soient responsables ? »

Le vieillard secoua la tête.

« Ces choses-là, ils ne les faisaient que dans les casernes. Ils se donnaient des airs hardis, mais au fond ils faisaient dans leur froc. Ils avaient peur. Et puis, en 1944, ils savaient déjà que leur sort était scellé. »

Soneri demeura silencieux et le silence lui parut si profond qu'il était possible d'entendre le choc produit par les aiguilles de glace continuant à tomber sur les feuilles sèches. Il se leva d'un seul coup comme il avait coutume de le faire. Le vieillard tressaillit et bougea la tête pour le chercher. Le brouillard de ses yeux devait être peuplé de quelque chose de nouveau superposé aux souvenirs. Lorsqu'il sentit la main du commissaire sur son épaule, il se tourna rapidement et tenta de le situer à l'aide de son regard habité seulement par des apparences.

« Vous savez regarder en profondeur », déclara Soneri en s'en allant.

Une phrase qui aurait pu sembler stupide ou irrespectueuse, mais qui ne l'était pas du tout.

Il se gara devant l'auberge *Italia* dans le but de faire savoir qu'il était arrivé. Quand il fut sur la digue et qu'il vit le cercle nautique, il éprouva comme de la rancœur : il se sentait un peu plus étranger à ce monde qui semblait le trahir. Et en pensant à tout cela, il eut l'impression de redevenir enfant alors qu'un orgueil puéril lui gonflait la poitrine. Il redescendit vers le cercle nautique. Devant le bar de la nièce d'Anteo, les ouvriers travaillaient pour réparer la façade du bâtiment noirci par les flammes. La femme observait avec la même pose qu'elle adoptait derrière son comptoir : bras croisés pour soutenir sa lourde poitrine.

« Quand recommencerez-vous le travail ? demanda Soneri.

— Dans deux semaines, si tout va bien, répondit-elle en le regardant de travers.

— Cet appel téléphonique… continua le commissaire, je veux dire celui de ce type qui cherchait votre oncle… et qui parlait très bien le dialecte mais pas l'italien… qui avait un accent étranger, peut-être espagnol… ou portugais… »

L'air obtus, la femme fit un signe interrogatif du menton comme pour dire « et alors ? ».

« Cet homme a bien dit qu'il cherchait Barbisin ? »

Pour toute réponse, il obtint un nouveau signe

d'assentiment du menton et une expression légèrement agacée.

« Je vous l'ai expliqué, non ? Il n'a pas parlé seulement en dialecte. Quand j'ai pris le téléphone et que j'ai dit "Allô" il a eu un moment d'hésitation et puis il a demandé en italien s'il était bien chez les Tonna. Peut-être pensait-il s'être trompé de numéro. Je lui ai demandé si c'était mon oncle qu'il cherchait et alors il s'est mis à parler en dialecte.

— Vous lui parliez en dialecte vous aussi ?

— Non, j'ai toujours employé l'italien. Je ne parle presque jamais en dialecte, ajouta-t-elle avec une pointe de mépris envers une habitude qui devait lui rappeler les origines paysannes dont elle aurait souhaité s'affranchir.

— Quand votre fils a-t-il voyagé pour la dernière fois avec son grand-oncle ?

— Il est là, demandez-lui », répondit la femme de plus en plus froide, en indiquant le jeune homme sous l'échafaudage.

Soneri le rejoignit en allumant son cigare pour se calmer. Il fuma tandis que les ouvriers pestaient contre le froid glacial qui engourdissait leurs mains.

« Quand as-tu fait ton dernier voyage avec ton oncle ?

— Une semaine avant sa mort, répondit le garçon. Je m'en souviens bien parce qu'on est descendus ensemble et qu'on est allés chez ma mère. Ça n'arrivait qu'une fois tous les sept jours.

— N'as-tu jamais remarqué quelque chose d'étrange quand vous croisiez un bateau sur le Pô ?

— Sur le fleuve, on se comporte toujours de la même manière : on se salue oralement ou par gestes.

Quelquefois, on a le temps de parler un peu plus.

— Ton oncle le faisait-il ?

— Rarement. Généralement c'étaient les autres qui lui demandaient quelque chose et alors il répondait. Il avait la réputation d'être un bon navigateur et ses conseils étaient utiles.

— Est-ce qu'il y en a qui vous évitaient ou qui ne vous saluaient pas ? »

Le garçon regarda autour de lui, ne sachant s'il devait répondre.

« Les communistes, dit-il ensuite avec un filet de voix.

— Qui ? demanda Soneri même s'il avait déjà tout compris.

— Des gens comme Melegari ou l'autre… Comment il s'appelle ? Vaeven. Si au lieu de la péniche nous avions eu une embarcation plus petite, ils nous auraient éperonnés.

— Ils voyagent beaucoup ?

— Nous les avons rencontrés plusieurs fois. Accompagnés d'autres personnes aussi.

— Tu les as reconnues ?

— Non, ils gardent toujours leurs distances. Ils ont une Magana qui va vite.

— Une ou plusieurs personnes ?

— Presque toujours une seule.

— Ils pêchent ?

— Mystère. Moi je ne les ai jamais vus pêcher. J'ai l'impression qu'ils vont loin. Au lieu de la voiture, ils utilisent le bateau. Je ne pense pas qu'ils aient le permis de conduire une voiture.

— Et Barigazzi, vous le croisiez ? »

— Il se déplace peu, dit le garçon en haussant les épaules. Et il reste presque toujours sous la berge : il n'a qu'un vieux canot.

— Qu'allez-vous faire de la péniche ?

— Dès que possible, je demanderai un devis aux chantiers : j'aimerais bien l'ancrer au port et la transformer en bar pour la belle saison. C'est la seule manière de l'utiliser. »

Soneri demeura silencieux. Il imagina la péniche avec le moteur éteint pour toujours, servant de belvédère aux couples en promenade sur le Pô, et lui vinrent à l'esprit certains collègues ayant fini gardiens d'immeuble pour arrondir leur retraite. Probablement à cause de son âge, il se voyait toujours protagoniste de ce genre de mauvais scénario. Pour chasser ces pensées, il se tourna brusquement vers le jeune homme en ôtant son cigare de la bouche.

« Peut-être est-ce mieux que tu la fasses détruire », dit-il.

La nuit allait tomber et du ciel descendait à nouveau le brouillard givrant. Sous les arcades, il prit son portable et il appela Juvara.

« Contrôle les registres de la société de télécommunications et essaie de comprendre d'où est arrivé le coup de fil à la nièce de Tonna une semaine avant qu'on ne tue le batelier.

— D'accord, répliqua l'inspecteur, vous avez vu ce qu'a déclaré le préfet de police aux journaux ? »

Le commissaire répondit que non en prévoyant des ennuis.

« Il a dit que la police enquêtera sur le trafic de clandestins parce qu'il est très probable que ce soit le mobile de l'homicide de Tonna.

— Qu'ils enquêtent ! » s'emporta Soneri, énervé.

Et en constatant que Juvara gardait le silence, intimidé par le ton de sa voix, il ajouta en s'efforçant d'apparaître cordial :

« Allez, on s'appelle tout à l'heure. »

Il revint sur ses pas en se dirigeant vers le port. La route était recouverte de givre et du ciel continuait à tomber une poussière blanche aussi doucement que l'écoulement du fleuve en période d'étiage. Il descendit vers la cour et il emprunta la ruelle qui menait aux guérites des pêcheurs, puis à l'échelle vers les pontons. La Magana de Melegari n'était pas amarrée : on voyait les cordes jetées sur le quai en ciment. Les autres bateaux avaient été recouverts de bâches, y compris le canot de Barigazzi. Le long de la rive, une rangée de piquets mesurait le retrait de l'eau.

Il revint vers la cour au moment où le réverbère s'alluma. Il passa à nouveau devant les guérites des pêcheurs et à cet instant son téléphone sonna. Dans le silence, il eut l'impression que l'*Aïda* était une alarme qu'il avait déclenchée dans les branchages blanchis et au milieu de ces baraques suspendues sur des piliers.

Le commissaire se mit à l'écoute : il avait reconnu le numéro de Juvara.

« J'ai vérifié, le coup de fil est parti de l'arrondissement de Fidenza, de Zibello plus exactement. Je n'ai pas suivi les circuits habituels, ajouta l'inspecteur, j'ai mis à profit notre taupe à l'intérieur de la société.

— Elle t'a donné aussi l'heure ?

— L'appel a duré de 7 h 44 à 7 h 46. »

Soneri mit fin à la conversation et rejoignit la cour. Puis il fit le tour du cercle nautique, mais alors qu'il s'apprêtait à entrer il vit arriver la camionnette des carabiniers. Aricò portait un manteau long jusqu'aux genoux et semblait être en grand uniforme.

« Finir dans les journaux vous a fait du bien, constata Soneri.

— Ce sont des ordres du commandement, aujourd'hui il y avait la télévision, bougonna l'adjudant.

— Vous avez raconté aux journalistes comment Tonna a été tué ?

— Vous ne croyez pas à cette histoire du trafic de clandestins ?

— Au trafic, si. »

L'adjudant se tut, soucieux. Puis il ajouta :

« Moi non plus je ne pense pas que…

— Le magistrat a parlé avec la presse et maintenant on dirait que tout le monde a embrassé la thèse de la vengeance des passeurs, précisa Soneri.

— Ils s'accrochent à l'unique fait avéré. Mettez-vous à leur place : vous, que feriez-vous ? Ces deux homicides sont irrésolus depuis quelque temps. Ça servira au moins à tranquilliser l'opinion publique. »

Sans le vouloir, Aricò avait mis le doigt sur la plaie : le seul fait avéré était le trafic des clandestins. Et c'était en plus une conséquence partielle des enquêtes du commissaire.

« Vous avez reconstruit l'organigramme de

l'organisation ? demanda Soneri tandis qu'il sentait monter en lui la mauvaise humeur.

— On y est presque. Il manque seulement quelques vérifications, dit-il avant de pointer du doigt la porte du cercle nautique. Je suis venu ici justement pour reconstituer les déplacements de la péniche de Tonna pendant son dernier mois de voyages entre ce port fluvial et les autres.

— Ce ne sera pas difficile, affirma Soneri d'un air distrait, les registres sont à jour. »

Aricò fit la moue.

« Ils étaient à jour, corrigea-t-il, mais depuis deux mois, il semble qu'ils aient oublié de compter tous leurs déplacements. Même si ça ne doit pas être bien difficile, vu qu'ils ne sont pas nombreux à voyager, ajouta-t-il ensuite d'un ton dans lequel le commissaire reconnut quelque chose tenant à la fois de la solennité et de la malice.

— Qui voyageait à part Tonna ?

— Melegari et ce Vaeven. Le bateau est au nom d'une coopérative de pêche qui se révèle être inactive. Les voyages vers Torricella sont limités, mais j'ai envoyé un brigadier contrôler les registres dans les ports des provinces de Reggio, Mantoue, Crémone et Plaisance. Pendant le dernier bimestre, il apparaît que la Magana a amarré plusieurs fois dans chacun d'eux. Ici, en revanche, elle n'a accosté que trois fois.

— Ils doivent exercer le même métier que Tonna, lança le commissaire en partant, mais, après qu'il eut fait quelques pas, la voix de l'adjudant l'arrêta.

« Vous ne vouliez pas entrer ?

— Je crois que vous avez des choses plus importantes à demander. »

Il franchit la digue à grandes enjambées et s'engouffra sous les arcades. Chez le Sourd, il fut accueilli par un Rigoletto à la voix avinée qui semblait émaner d'une bouteille tout juste débouchée. Une seule table était occupée par un groupe d'Anglais, sans doute égarés dans le brouillard sur les chemins d'un pèlerinage en hommage à Verdi. Le Sourd et eux se comprenaient très bien par gestes. Au fond, c'était la même chose avec ceux qui parlaient sa langue. Soneri mangea un plat de tortelli au potiron et de l'âne en daube. Puis, après quelques minutes d'échanges en langage des signes, il parvint à se faire couper et emballer deux cents grammes de Culatello et plusieurs lamelles de très vieux parmesan. Il les fourra dans les grandes poches de son Montgomery et il sortit en laissant en plan Rigoletto et le duc de Mantoue.

Dans l'herbe de la digue, le froid semblait plus piquant encore qu'au village. Devant lui on voyait les guérites des pêcheurs, plus bas le port avec les pontons, et à droite le cercle nautique dont le réverbère, rien qu'à cette distance, apparaissait obscurci par le brouillard. En repensant à sa conversation avec Aricò, il se sentit de meilleure humeur, et ce n'était pas seulement grâce au dîner, dont il dépensait lentement les calories en luttant contre le froid glacial. Il ne savait pas si la Magana arriverait, mais cela valait la peine d'essayer d'attendre au moins jusqu'à après minuit. Était-ce là aussi un voyage qui ne laisserait aucune trace dans les registres du cercle ?

Il s'emmitoufla dans l'écharpe qu'il avait prise avec lui, enfonça sa tête dans un bonnet en laine et vérifia que son portable était éteint. Puis il commença à mettre dans sa bouche une lamelle de parmesan et une tranche de Culatello avec le rythme d'un homme qui attise le feu. Peu après vingt-trois heures, il vit les fenêtres du cercle nautique s'éteindre et il entendit une conversation consistant en quelques échanges se propager de la cour jusqu'à la digue. Il eut également l'impression de discerner les ombres de quatre personnes qui remontaient jusqu'au chemin de halage : probablement Barigazzi, Ghezzi, Vernizzi et Torelli qui allaient se coucher.

Quand le clocher du village sonna minuit, le commissaire pensait sérieusement qu'il allait s'abandonner au froid glacial. Il se leva après une dizaine de minutes, les pieds insensibles et les jambes raidies. Le givre l'avait complètement recouvert comme le sucre glace décorant un gâteau au yaourt. Mais après avoir fait quelques pas, il commença à entendre un murmure lointain et lorsque le bruit se fit plus fort, il perçut distinctement le diesel de la Magana de Melegari.

Il vit la lumière de la proue alors que le bateau accostait déjà au ponton. Il entendit ensuite le choc sourd contre les pneus placés contre le parapet en béton, puis un homme descendit à terre pour saisir les amarres. Quand celui-ci passa dans le faisceau des feux situés à l'avant, le commissaire reconnut Vaeven. Puis on éteignit le moteur, ainsi que la lumière. Il attendait maintenant que descende Melegari, même si, dans cette obscurité, il aurait du mal à reconnaître sa silhouette imposante. Il apparut après quelques instants, éclairant le chemin avec une torche. Il était accompagné d'un troisième homme, un type robuste, légèrement voûté et traînant un peu la jambe. Soneri eut l'impression qu'il s'agissait de l'inconnu qu'il avait vu entre Barigazzi et Dinon dans les parages des guérites de pêcheurs quelques soirs auparavant.

Les trois hommes se dirigeaient vers le cercle nautique et le commissaire suivit du regard un bout de leur trajet. Il ne parvenait à distinguer que des ombres, mais pour l'instant il était intrigué par l'itinéraire que ces ombres étaient sur le point d'emprunter. Ils avançaient doucement, et bientôt ils allaient disparaître de son champ de vision parce que le chemin dessinait un coude parallèle à la digue. Il entendrait peut-être leurs pas crisser sur le gravier figé par le gel. Il essaya de se déplacer, mais l'herbe sèche risquait de le trahir. Mieux valait les laisser s'éloigner tout en les gardant à portée de regard jusqu'à ce qu'ils arrivent dans la cour, et remonter ensuite vers le même chemin en les talonnant dans le brouillard.

Il attendit qu'ils soient à nouveau visibles, mais ils tardaient à se montrer. Il lui sembla entendre quand même des pas et puis un bruit de bois heurté, comme celui d'une rame battant contre la coque d'un bateau et puis plus rien, jusqu'au moment où il vit à nouveau Melegari et Vaeven marcher vers la cour : la lumière jaune du réverbère les éclairait désormais distinctement. Le troisième avait disparu. Il devait être dans l'une de ces baraques dont on ne pouvait apercevoir l'entrée depuis l'endroit où Soneri était, même s'il lui paraissait difficile qu'on pût passer la nuit dans un tel logement. Il descendit vers le chemin de terre en glissant le long de la digue verglacée. Le brouillard et la nuit noire rendaient complexe l'exploration de ce dédale de jardins et de cours faisant office d'antichambre aux abris des pêcheurs. Il ne vit que des meubles empilés, des bouts de terrain pareils à des jardins potagers et des bateaux retournés. Il s'efforçait de comparer ses souvenirs à cette sorte de négatif qu'il avait maintenant sous les yeux, comme une photo. Où était passé l'homme voûté, qui semblait avoir un certain âge et tirait la jambe ?

Il retourna au village en pressant le pas pour se réchauffer. L'enseigne de l'auberge *Italia* était désormais éteinte et, entre les maisons, seuls les réverbères diffusaient une lumière tamisée par le brouillard porté par le vent. Le givre se déposait lentement sur toute chose. Il emprunta les rues du centre en marchant au milieu plutôt que sous les basses arcades. Il déboucha sur la place où se trouvait le bar de la nièce des Tonna avant de faire demi-tour en passant par les ruelles. C'est alors qu'il se retrouva face à la boutique de Melegari où, d'après ce que lui avait dit Barigazzi, les vieux communistes du village se retrouvaient autour d'un buste de Staline. Ce n'était rien d'autre qu'un rideau métallique gris surmonté de l'écriteau « CORDONNIER » à moitié effacé. Soneri leva les yeux plus haut et vit des fenêtres aux volets ouverts.

Après avoir fait quelques pas, il se retourna pour regarder ces fenêtres, qui lui faisaient penser aux yeux grands ouverts d'un mort. Il essayait de s'expliquer cette impression particulière, quand il aperçut sa voiture garée devant l'auberge *Italia* et c'est alors qu'il comprit : Melegari n'était pas rentré chez lui. Une fois descendus de la Magana persuadés de trouver le village désert, les deux vieux communistes avaient d'abord raccompagné leur ami dans sa baraque avant de remarquer la voiture du commissaire, bien visible depuis le chemin de halage. À ce moment-là, Melegari et son compagnon avaient dû se méfier et étaient revenus sur leurs pas. Une précaution remontant à l'époque des affrontements avec la police.

Une fois rentré chez lui, il réussit à dormir quelques heures. Une froide obstination l'habitait. La lumière précédant l'aube tardive de l'automne ressemblait à la nuit, mais il faisait encore plus froid.

Le village était déjà animé quand il arriva. Des lumières filtraient des persiennes encore baissées et dans de nombreux magasins on déchargeait la marchandise des fourgonnettes. L'enseigne du kiosque à journaux était allumée et Soneri, en passant devant, jeta un coup d'œil aux affiches : « Coup de théâtre dans l'énigme du Pô, Anteo Tonna tué par une bande de passeurs ».

Il décida de ne pas acheter le journal ; il ne voulait pas être de mauvaise humeur dès l'aube.

Il se gara dans un endroit un peu à l'écart et prit la direction du port. Il passa de l'autre côté de la digue et il redescendit vers la cour. Vers le fleuve, on percevait à peine la lueur claire de l'aube naissante. Il passa devant les guérites et il se dirigea d'un pas décidé vers les pontons. L'emplacement réservé à la Magana était vide et les amarres avaient été jetées sur le quai comme la veille. Le commissaire se sentit déçu, comme si on s'était moqué de lui. Mais au moins, à présent, il avait la certitude que les autres se savaient suivis. Ils étaient entrés dans un rôle et ils jouaient leur partition.

Il déambula entre les baraques en suivant le chemin qui passait entre leurs portes et le talus derrière lequel coulait le fleuve. Dans la lumière couleur cendre, il observa des constructions fabriquées avec du matériel de rebut à bas prix. Des architectures étranges qui avaient en commun la particularité d'être soutenues par des poteaux en béton ou en métal pour se protéger de l'eau. Tout autour, de vieilles barques, des roues de charrettes et des barbecues pour l'été. Il les examina un par un jusqu'à ce qu'il remarque un détail qui attira son attention : deux empreintes dans la fine couche de givre déposée la veille au soir dans le chemin qui longeait une de ces maisons sur pilotis. Des traces qui s'arrêtaient brusquement derrière la route.

Le commissaire réfléchit un instant et lorsqu'il leva les yeux vers la digue il s'aperçut que la cabane était l'une de celles qui échappaient au regard depuis l'endroit où il se trouvait le soir précédent. Puis il examina à nouveau ces empreintes solitaires, interrompues par un mur invisible. Il parcourut le trottoir et gravit le petit escalier jusqu'à l'entrée surélevée. Un balcon couvert faisait le tour de la maison, d'où, les soirs d'été, la vue du Pô devait avoir un certain charme, à condition de disposer d'un bon insecticide. Il tenta de regarder entre les lattes des volets mais il ne vit que du noir. D'un côté, cependant, de l'air passait, signe que les fenêtres n'avaient pas été fermées.

Faire sauter le loquet fut un jeu d'enfant. Comme il s'y attendait, il s'agissait d'une pièce où l'on avait abrité les plantes pour les protéger du gel : un laurier-rose, des géraniums et un jeune citronnier à moitié enveloppé dans un film en plastique. Le commissaire respira un air chargé de poussière, tandis que des toiles d'araignées lui collaient au visage. Il ouvrit la porte de la pièce et se retrouva dans un couloir. De sa torche, il éclaira une rangée de bottes et une armoire à glace. Il appuya sur l'interrupteur et apparurent des cloisons abîmées par l'humidité le long desquelles étaient ouvertes des portes. Celle en face de Soneri donnait sur la cuisine. Il y avait tout le nécessaire pour faire à manger. À un clou pendait le calendrier ouvert à la page du mois de septembre. De l'autre côté, la salle de bains, puis deux chambres. La première possédait un grand lit et était parfaitement rangée ; une odeur de camphre s'en dégageait. Au milieu de la seconde, en revanche, ne se trouvait qu'une paillasse aux draps défaits et un petit radiateur électrique.

Soneri s'approcha du radiateur avec une prudence de démineur. Il était encore relié à la prise, mais l'interrupteur était éteint. Il faisait plus chaud dans cette pièce et tout laissait supposer qu'elle avait été occupée très récemment. Toutefois, on avait dû y dormir peu : quatre ou cinq heures tout au plus. Il inspecta chaque recoin. Il n'y avait que de vieux vêtements et des choses laissées là depuis l'été : des revues et des objets fourrés dans un placard faisant office de débarras. Seule une boîte de comprimés contre la tension semblait avoir été abandonnée depuis peu. Il l'ouvrit, mais elle était vide.

Il retourna dans le couloir et remarqua que la porte était juste poussée mais n'était pas fermée à clé. Celui qui avait quitté la maison s'était contenté de tirer la porte derrière lui. Soneri fit de même. Il referma les volets de l'intérieur de la pièce où se trouvaient les plantes et sortit par la porte principale. Arrivé en bas de l'escalier, il se dirigea vers la rue en prenant le chemin le plus court et c'est alors qu'il revit les empreintes. En continuant par là, il en laisserait d'autres parce que la brise avait poussé le givre à tel point qu'il recouvrait tout le passage. Sans le vouloir, il s'était comporté comme l'occupant de cette nuit-là. Mais ce dernier avait dû s'apercevoir qu'il laissait des traces et, en revenant sur ses pas, il était passé entre les poteaux sous la maison et avait atteint un endroit du chemin où le givre ne s'était pas déposé. Toutefois, dans le noir, quelques empreintes lui avaient échappé.

En marchant, Soneri alluma son cigare et essaya de mettre ces différents indices dans l'ordre. Quelqu'un vivait caché, se déplaçant le long du Pô avec la complicité d'un groupe de communistes orthodoxes restés fidèles à Staline. Tout cela, après l'assassinat de deux vieux fascistes. En 1946, à la limite…

De la cour, il aperçut la silhouette de Barigazzi descendu vérifier les piquets. Il le suivit pendant que le vieil homme poursuivait son travail. Quand il fut derrière lui, l'autre se retourna aussitôt et le scruta d'un air interrogatif.

« Si ça continue comme ça, même les poissons vont commencer à se sentir à l'étroit, dit Soneri en montrant le fleuve.

— Un niveau remarquablement bas », répondit Barigazzi comme s'il avait craint une autre question.

Ils marchaient en laissant des traces dans le sable boueux, comme celui d'une plage balayée par les vagues.

« À qui appartient la troisième guérite en partant des pontons ?

— À Vaeven », dit le batelier en soupirant, comme s'il savait où voulait en venir le commissaire.

Ils remontèrent vers le phare. Soneri suivait patiemment Barigazzi, qui semblait résigné. Les résistants menés au peloton d'exécution devaient marcher de la même manière. Nibbio aussi en ces jours de 1944. Devant le cercle nautique, le vieil homme fila tout droit et il se dirigea vers le chemin de halage. Le commissaire le rejoignit et chemina à ses côtés, en gardant le silence.

Lorsqu'ils virent la stèle, Barigazzi s'immobilisa et lui adressa un regard exaspéré.

« Je n'ai rien à voir avec ces gens. Pour moi, ce sont des fous, avec leur Staline et toutes ces réunions…

— Staline n'y est pour rien, on vous menace à cause des registres, répliqua Soneri après un court instant.

— Ce qui les intéresse, c'est l'histoire du gasoil, se défendit Barigazzi d'une voix plus basse de deux tons par rapport à d'habitude. En douce, ils utilisent du carburant agricole qui coûte moins cher. S'il y avait beaucoup de voyages inscrits dans les registres, le fisc vérifierait les fiches de l'essence et se demanderait comment ils peuvent faire autant de trajets avec si peu de mazout », dit le vieil homme.

L'explication tenait la route. Après tout, la Magana était au nom d'une coopérative de pêcheurs.

« Il y a d'autres clandestins en plus de ceux que transportait Tonna », affirma le commissaire.

Barigazzi baissa les yeux et ne les releva que lorsque, à travers le brouillard, émergea l'oratoire où Anteo se rendait presque chaque semaine dans les derniers mois de sa vie. Son ombre plus sombre au milieu de tout ce gris les fit s'arrêter et, sans que Soneri insiste, le vieil homme parut se sentir acculé.

« Vous croyez que je ne sais rien ? Mais j'ignore ce qu'ils trafiquent exactement. Ils ne viennent pas me le raconter.

— Melegari vous fait peur. Je l'ai compris le jour où il est venu au cercle et où c'est moi qu'il a trouvé.

— Ce sont des gens qui savent se faire comprendre sans menacer. Ils vont à l'essentiel et ils savent que je les connais.

— Et pourtant ils sont vieux maintenant... » murmura le commissaire, peu convaincu.

Barigazzi fit le tour de la chapelle en jetant un coup d'œil au petit autel où l'on apercevait la flamme d'un cierge. Au fond, dans un coin caché par le mur et par une sorte d'abside, poussait un pied de romarin.

Le vieil homme saisit une branche et fit glisser sa main d'une extrémité à l'autre. Puis il sentit ses doigts.

« Un vrai petit miracle, dit-il ensuite. Près d'un fleuve, avec ces hivers et le brouillard six mois par an... Et malgré tout, il résiste. Les murs de l'oratoire le protègent des vents du nord et de l'est, et la digue le met à l'abri de l'humidité de l'ouest. Le seul vent qui lui parvient est le vent tiède du sud. Dix mètres plus loin, le gel le tuerait, mais ici il peut vivre. »

Le ton de Barigazzi avait quelque chose d'allusif. Soneri imita le geste du vieil homme et sentit la paume de sa main : dans le brouillard givrant qui annihilait les parfums, il huma une odeur de printemps.

« C'est la seule touche de vert qui soit restée », commenta Barigazzi.

Le givre n'était pas arrivé jusque-là. Et les écoulements d'eau de la période des crues non plus. La plante était protégée par la corniche et par une petite bosse du terrain.

« Dans certains lieux, l'hiver non plus n'arrive pas, continua le vieil homme, et le temps, je veux dire les saisons s'arrêtent et n'en font plus qu'une. »

Le commissaire acquiesça d'un air distrait. Tous deux s'étaient concentrés sur cette plante de romarin. Il n'y avait rien d'autre à regarder maintenant que l'herbe blanchie avait la même couleur que le brouillard.

« C'est Tonna qui s'en occupait ? »

Barigazzi le fixa de ses yeux rendus humides par le froid.

« Pas lui tout seul, il ne venait qu'une fois par semaine. Plus pour saint Mathieu que pour le reste, conclut-il en indiquant l'entrée de l'église de laquelle on voyait la statue du saint.

— Il était devenu pratiquant ces dernières années... »

Le vieil homme esquissa un sourire où l'on pouvait lire un mélange de cynisme et de sagesse.

« Il se préparait à mourir.

— Tout le monde ne réagit pas ainsi, constata le commissaire.

— Non, répliqua Barigazzi qui avait saisi l'allusion, pas tout le monde. Quand on est jeune, c'est le corps qui gouverne ; quand on est vieux, c'est l'âme qui commande. Les communistes, eux au moins, ont gardé une certaine cohérence : ils ne croyaient pas en Dieu étant jeunes et ils n'y croient pas davantage devenus vieux.

— Il n'y avait pas que son âge qui constituait une menace, dit le commissaire. Et ces derniers temps, le danger se précisait.

— Il y a des choses que vous savez mieux que moi. Comme l'histoire des voyages… Moi je sais que la Magana part et revient à des heures bizarres, mais ce qu'ils font… Le fleuve exige son dû et donne à son tour, c'est tout. Il te fait vivre et il reprend la vie. Cette même eau qui te donne à manger t'affame. Sur le fleuve, des gens partent et reviennent et ceux qui restent sur le bord n'ont pas le choix. »

Ses mots étaient toujours un peu sybillins et Soneri en restait décontenancé. Il avait l'impression d'entendre les prêches des vieux curés de campagne quand ils commentaient les Écritures. Et au fond Barigazzi aussi avait certainement appris d'eux.

Dans cette sorte de serre où poussait le romarin, même l'herbe semblait plus verte et plus drue. Était-ce pour cela que Barigazzi l'avait amené ici ? Pour lui faire comprendre qu'il y avait là des conditions spéciales qu'on ne rencontrait pas ailleurs ? Et que par conséquent, dans le village aussi… Dans un méandre du Pô pouvaient survivre des communistes encore fidèles à Staline et des fascistes irréductibles, comme le romarin survivait entre un mur et une digue ?

Le vieil homme sortit de cette sorte d'abri en forme de coquillage et affronta à nouveau le froid glacial.

« À ce train-là, observa-t-il, les bras morts où l'eau stagne gèleront et quand l'air sera plus doux, les plaques de glace dériveront et mettront en péril les bateaux.

— La Magana devra enfin s'arrêter quelque part, commenta Soneri.

— Comme ça, vous pourrez faire la connaissance de tout l'équipage », conclut le vieil homme.

11

Aricò le reçut dans son bureau habituel du premier étage d'où l'on apercevait la digue. Le téléphone n'arrêtait pas de sonner parce que les journalistes voulaient connaître la suite du « mystère du Pô ». Il finit par hurler d'un ton péremptoire un ordre du haut de l'escalier à destination du brigadier au rez-de-chaussée :

« Ne me passe plus personne : je ne suis pas là ! »

Puis il revint à sa place, après avoir augmenté d'un cran le radiateur à gaz : il supportait de moins en moins le climat de la basse plaine.

« Ce bateau est comme un chien errant, dit-il. Il n'y a pas un port qui ne l'ait vu passer entre Parpanese et San Benedetto. Mais la forme de la coque pourrait lui permettre d'accoster à n'importe quel endroit de la berge. La péniche voyage à vide et ne pêche pas beaucoup.

— Les pontons sont tous sous votre surveillance ?

— Ce n'est pas possible ! Je ne dispose pas d'effectifs suffisants. J'ai mobilisé les casernes le long du fleuve, mais je dois laisser des hommes en poste. Nous avons surveillé un jour sur deux les pontons en aval de Pavie jusqu'à Plaisance : Chignolo, Corte Sant'Andrea et

Somaglia. Puis Mortizza, Caorso, San Nazzaro, Isola Serafini, Monticelli, Castevetro… Mais la Magana voyage même la nuit. Il faudrait accrocher une vedette derrière la péniche.

— Ils se sont rendu compte qu'on les surveillait ? demanda Soneri qui avait décidé de ne pas attacher d'importance aux propos exagérés de l'adjudant.

— Je pense que oui. Non pas qu'ils aient remarqué les uniformes, mais parce que mes hommes sont allés poser des questions dans les cercles nautiques le long de la berge. Tout le monde se connaît, ajouta-t-il d'un geste éloquent de la main.

— Le bateau reste longtemps accosté en dehors de Torricella ?

— Non. Parfois il passe la nuit dans un port de la province de Reggio ou de Mantoue, mais le plus souvent il revient à son port d'attache.

— Vous pensez qu'ils exercent le même métier que Tonna ?

— Ce n'est pas à exclure ! répondit brusquement l'adjudant. En petite quantité : disons des déplacements triés sur le volet. Ils sont dégourdis. Ils peuvent accoster, embarquer et débarquer comme ils veulent. Ils connaissent le fleuve mieux que leur femme. »

Soneri ne put s'empêcher de sourire et Aricò s'en aperçut. L'intérêt constant des journaux, quelques passages à la télévision et les compliments des magistrats avaient convaincu l'adjudant que pour lui c'était l'occasion ou jamais. Peut-être rêvait-il d'une promotion et d'un retour parmi les citronniers de sa chère Sicile qu'il ne parvenait pas à oublier.

« Aricò, poursuivit le commissaire en prévoyant la susceptibilité de son confrère, nos enquêtes sont parallèles. Mais nous pouvons nous être utiles réciproquement. Si vous faites surveiller le fleuve et que nous parvenons à reconstituer les déplacements de la Magana, ce sera utile pour moi comme pour vous. »

L'adjudant y pensa un instant. Au fond, c'était un homme reconnaissant. Cette enquête qui lui permettrait d'avoir une promotion, il la devait aussi à Soneri.

« Je vous tiendrai informé, répondit-il, aujourd'hui même j'enverrai un télégramme avec l'ordre de renforcer la surveillance. »

Le froid était plus vif encore et le thermomètre de la pharmacie du village était descendu nettement sous zéro. Un vent d'est balayait la basse plaine en soufflant à contre-courant et en ralentissant davantage encore le débit déjà affaibli par la baisse des eaux. Soneri se mit en route en direction du port et traversa le sentier des guérites jusqu'au mouillage. Le niveau de l'eau avait encore baissé et, dans ce qui devait être le fond, on apercevait de gros squelettes d'arbres entraînés par des décennies de crues depuis les vallées alpines jusqu'aux sables de la vallée du Pô. Des groupes de glaneurs et de curieux avaient commencé à battre les berges en quête de bizarreries remontées à la surface après des années passées dans l'eau.

Au cercle nautique, Ghezzi écoutait la radio. À Pomponesco, une péniche de Rovigo naviguant avec de vieilles cartes s'était enlisée. Le long de la rive de Suzzara, en revanche, une plaque de glace avait commencé à se former dans un coude exposé aux vents des Balkans.

« Ça commence, commenta Ghezzi. Et si ce soir le froid continue…

— Ça gèlera aussi au port ? s'enquit Soneri.

— Je crains que oui. Mais les barques sont désormais toutes au sec.

— Sauf la Magana de Dinon et Vaeven. »

Ghezzi demeura silencieux. Puis il dit « En effet », mais il ne relança pas la conversation, comme s'il s'agissait d'un sujet tabou.

« Avec la glace, que se passe-t-il pour un bateau comme celui-là ? demanda Soneri.

— La péniche est robuste, mais pas assez pour briser d'épaisses couches de glace.

— Donc elle devra s'arrêter.

— Tout le monde s'arrêtera, si ça continue comme ça. Mais surtout tout le monde devra s'arrêter après.

— Après quoi ?

— Après la remontée des températures. Il sera impossible de parcourir le fleuve, traversé par d'énormes plaques aussi coupantes que des lames, et il faudra des jours avant que les bateaux puissent rejoindre le delta. »

Le commissaire pensa que la Magana deviendrait inutilisable et que sans doute Melegari avait déjà songé à un abri stable. C'était un homme de l'eau, qui n'ignorait certainement pas les conséquences du gel. Dans toute cette histoire, il y avait un metteur en scène : le fleuve lui-même. Il avait caché Tonna, fait dériver la péniche et à présent, en retirant ses eaux glacées, il interrompait des habitudes consolidées tout au long de son cours. Les hommes qui vivaient sur ses rives s'adaptaient à lui comme on s'adapte à un souverain. Et maintenant cette Magana aussi devait s'avouer vaincue et se mettre au sec.

« Ici, la glace arrivera dans la nuit. Les pontons de Stagno et Torricella sont exposés au nord-est sur la rive droite », informa Ghezzi.

Barigazzi entra, le visage grimaçant.

« Explique-lui que je n'ai pas les relevés. On m'a enlevé un piquet, dit-il en indiquant la radio et un interlocuteur non spécifié. Avec tous ces gens qui voyagent sur les berges… ajouta-t-il en maugréant tandis qu'il accrochait sa capote au crochet du portemanteau.

— S'il gèle, ils pourront marcher aussi sur les eaux, intervint Soneri.

— Probable, fit Barigazzi. Dans ma vie, je l'ai vu deux fois recouvert de glace, mais il doit faire un froid de canard pendant quinze jours de suite. »

La radio interrompit le silence, en réactualisant le bulletin d'information sur le gel : de la glace se formait sur toute la rive émilienne, plus exposée au vent du nord-est.

« Une sale bête, commenta Barigazzi. Elle commence à se former sur la terre ferme et elle avance jusqu'à ce qu'elle rencontre d'autres fronts. Elle enserre lentement le lit du fleuve. Il faut qu'ils se dépêchent de mettre au sec toutes les barques : le bois et la glace ne s'entendent pas.

— Ici, au port, il en manque une », insista le commissaire.

Les autres se turent. Ghezzi fit semblant de manipuler la radio, tandis que Barigazzi se leva pour regarder dehors, vers le fleuve. Puis il se retourna et, pour alléger la tension qui s'était créée, il déclara :

« À leur place, je ne perdrais pas de temps. Du moins s'ils n'ont pas décidé de laisser la Magana dans un autre port.

— Vous pouvez vérifier? » demanda Soneri en s'adressant à Ghezzi.

Le vieil homme empoigna le micro et, en appuyant sur quelques touches, il demanda des renseignements. Après quelques instants, les réponses commencèrent à arriver : apparemment, le bateau n'avait accosté nulle part.

« Vous continueriez à naviguer avec ce froid glacial, vous ? » demanda le commissaire.

Le vieux batelier haussa les épaules :

« Ils ont encore le temps, les postes d'amarrage se situent les uns à la suite des autres et tous deux connaissent bien le fleuve. »

Soneri ne répliqua pas et se borna à écouter les nouvelles diffusées par la radio. À présent, on communiquait les températures, presque toutes inférieures à zéro de dix degrés.

« Un frigo », commenta Ghezzi.

À Bocca d'Enza, on avait capturé un silure de quatre-vingt-dix kilos et le chanceux commentait maintenant les différentes phases de la pêche comme s'il était l'invité d'une véritable émission de radio.

« Il va le vendre aux Chinois, ils le mangent plus volontiers que les chevaines », commenta Barigazzi au moment où le commissaire sortait du cercle nautique.

Le froid persistait : si la Magana voulait rentrer, elle devrait le faire dans la soirée. Il les attendrait : pour affronter le gel, il avait fait des provisions de parmesan chez le Sourd.

Dans la cour, il fut saisi par un besoin inhabituel de compagnie. Il sentait que cette enquête entrait désormais dans sa phase finale de la même manière que le gel resserrait peu à peu son étau sur le fleuve. À cet instant précis, l'*Aïda* retentit et le numéro affiché lui indiqua qu'Angela l'appelait.

« Ah, tu n'as pas fini dans un tourbillon ! commença-t-elle sur un ton sarcastique.

— Je ne me pardonnerai jamais de t'avoir déçue, répondit Soneri en regrettant immédiatement sa solitude.

— Tu as beaucoup de choses à te faire pardonner. Mais je te dispense de cette peine vu qu'elles sont presque toutes impardonnables.

— Je sais, il vaut toujours mieux faire de grosses bêtises. Surtout avec les femmes : elles te prennent en pitié.

— Ne fais pas le malin, grommela Angela, ne me dis pas que tu as oublié quel jour nous sommes aujourd'hui. »

Soneri avait oublié leur anniversaire. Plusieurs années auparavant, un matin, il faisait aussi froid, le givre était accroché aux haies à l'identique et Angela était apparue soudain, couronnée d'une aubépine. Il avait été frappé par ses manières brusques mais fascinantes, qui ressemblaient tant à l'arôme de son cigare. Tout avait débuté comme ça…

« Pardon, lui dit-il, mais cette enquête… »

Il perçut un soupir.

« Mais quelle enquête ? rétorqua-t-elle. Nous avons vieilli, c'est tout. »

Avant d'avoir le temps de répliquer quoi que ce soit, il l'entendit raccrocher. Dans l'oreille, cependant, lui était resté le ton douloureux d'Angela, tari de toute espérance, et il décida donc de la rappeler. Mais le téléphone sonnait dans le vide et il s'imagina alors qu'elle s'était jetée sur son lit pour pleurer. Il savait qu'elle en aurait été capable : sous son écorce rugueuse, elle avait un fond sensible et tendre.

En pensant à son oubli, Soneri avait marché le long du chemin de halage en dépassant la descente qui le porterait au village. Il ne prit conscience de la distance qu'il avait parcourue que lorsqu'il se retrouva dans les environs de la stèle des résistants.

Le froid avait durci le lit d'inondation, parsemé d'aspérités gelées. Il descendit au bas de la digue et, quand il fut devant la petite stèle, il vit qu'on y avait attaché un bouquet de roses déjà flétries par le gel. Ce lieu se chargeait d'un sens impénétrable : trois résistants y avaient perdu la vie et, bien après, un vieux fasciste. Celui-là même, sans doute, qui avait ordonné et commandité le massacre. L'histoire avait pris une tournure curieuse, difficile à interpréter.

Il regagna la route en se demandant encore pour qui étaient ces roses. Pour les résistants, c'était le plus probable, mais qui pouvait les avoir mises là ? La stèle accueillait quelques fleurs le jour de la Libération, tant qu'il y aurait un vétéran pour s'en souvenir.

Le commissaire passa chez le Sourd et remplit son estomac de jambon blanc, de saucisson et de Culatello.

Il avait besoin d'énergie pour la nuit. Ensuite, il rappela Angela, mais en vain. Quand il sortit, le vent saisissant, qui semblait siffler entre les piliers des arcades, lui cingla le visage. Il traversa la route en laissant ses empreintes dans le givre qui se désagrégeait encore. Puis il arriva sur la place et s'engouffra dans les ruelles en passant devant la maison de Melegari, dont les volets étaient restés grands ouverts. Lorsqu'il aperçut l'auberge *Italia*, une silhouette surgie de l'obscurité lui barra le chemin.

« Comment as-tu fait pour me trouver ?

— Il suffit de se mettre devant une taverne et tôt ou tard tu finis par passer », répondit Angela.

Le commissaire la fixa avec délectation : elle était belle et il était content de la voir. Mais aussitôt après, il se rappela que cette nuit-là il allait devoir travailler.

« Ce soir, je ne peux pas lâcher l'enquête, lui dit-il avec un regard quémandant la compréhension.

— Tu crois que j'aime les types qui lâchent prise ? » répondit-elle en s'approchant.

Quelques instants plus tard, Soneri la guidait dans le noir qui était tombé en un rien de temps le long du Pô. Ils longèrent la cour et poursuivirent sur le chemin de terre des guérites. Lorsqu'ils arrivèrent au cabanon de Vaeven, il lui emboîta le pas, en veillant à ce qu'elle ne laisse pas d'empreintes, puis ils s'engagèrent dans l'escalier qui menait au balcon. Une fois arrivés devant l'entrée, il lui demanda d'attendre. Il fit ensuite le tour de la baraque, entra comme il l'avait fait la fois précédente et alla ouvrir la porte.

« Bienvenue ! » l'accueillit-il en s'inclinant légèrement.

Elle adorait ce genre de surprises et elle voulut tout savoir de cette maison. À la moitié du récit, elle le poussa vers la chambre équipée du radiateur. Attendre dans la guérite était plus agréable que dans l'herbe recouvrant la digue et, de cet endroit, de toute façon, on voyait les pontons. À vingt-trois heures, le commissaire commençait à s'impatienter et à penser que la Magana s'était arrêtée quelque part pour ne pas rester prisonnière de la glace. Mais une demi-heure plus tard, il discerna une lumière qui glissait droit vers la berge en remontant le fleuve. Quand la péniche fut à une dizaine de mètres du quai en béton, elle ralentit et accosta avec prudence. Après quelques secondes, on entendit une sorte de bruit sourd pareil à celui d'un sac qui tombe. Puis Soneri aperçut la parabole accomplie par les amarres lancées sur la jetée, et la passerelle entre le pont et le lieu d'abordage.

Un homme descendit et commença à tirer l'extrémité des câbles en les enroulant autour des bittes d'amarrage. À en juger par son gabarit, il devait s'agir de Vaeven. Le commissaire en eut la certitude quand il vit la passerelle plier sous le poids de Melegari. Les deux semblèrent bavarder quelques instants, puis ils se dirigèrent vers le sentier. Vu qu'ils étaient seuls, Soneri se demandait où était le troisième homme. Lui et Angela avaient préparé un plan : ils se cacheraient dans la pièce abritant les plantes et quand le mystérieux ami de Dinon et Vaeven se coucherait, ils entreraient dans la chambre en le surprenant déjà sous les couvertures. Mais devant le cabanon, les deux amis poursuivirent leur chemin vers la cour et dépassèrent la digue en direction des maisons.

Ils rentraient, comme d'un voyage habituel. Comme de tranquilles pêcheurs d'eau douce.

Durant la nuit, un vent léger était parvenu à dégager le ciel quelques heures et le fleuve refléta même quelques étoiles, mais avec l'aube tout se renferma en rétablissant la grisaille coutumière. Soneri se déplaçait comme une taupe dans le noir. Il sortit de la baraque très tôt pour accompagner Angela à sa voiture. Il revint ensuite, à temps pour voir Melegari et son associé descendre vers les pontons. La glace s'était déjà emparée, depuis la rive, d'une bande d'eau d'une largeur de deux mètres, qui encerclait presque la coque du bateau. Il entendit que l'un des deux pestait, puis que les deux hommes commençaient à s'activer en plaçant le treuil et en manœuvrant la grue.

Lorsque le bateau se défit de l'emprise de la glace, on perçut une sorte de déchirement, puis la péniche fut hissée, ruisselante comme un organe que l'on aurait arraché d'un corps. La coque était recouverte de bave figée par le gel et elle apparaissait plus sombre dans sa partie immergée, presque plate et très large : le bateau pêchait vraiment peu. Une fois l'embarcation mise au sec, Melegari monta lentement l'échelle qu'il avait posée contre l'une des murailles, puis il fit quelques pas sur le petit pont et ferma les accès qui menaient à couvert. Il étendit une bâche verte, dont ne sortait que la cabine, et il l'assura avec des cordes. Vaeven, d'en bas, complétait la manœuvre.

Soneri avait espéré que la glace rende tout plus facile en bloquant la Magana, mais en réalité elle compliquait les choses. Une fois de plus, il devait faire appel à toute sa patience et rester à l'affût du moindre signal. C'étaient là les qualités des pêcheurs et de ceux qui naviguaient sur le fleuve.

Il décida d'appeler Aricò pour en savoir plus sur les déplacements du bateau.

« J'ai renoncé à envoyer le télégramme, lui expliqua l'adjudant, avec un temps pareil, la navigation est suspendue. Espérons que cela ne dure pas, ajouta-t-il et le commissaire perçut dans ce vœu plus l'irritation à cause du froid que l'ardeur de l'enquêteur.

— On vous a communiqué les dernières étapes faites par la Magana avant le gel ? demanda-t-il.

— Oui, mais dans le désordre, sans chronologie précise, déplora son confrère.

— Cela fera l'affaire.

— Viadana, Pomponesco, Polesine, Casalmaggiore, Sacca et Stagno, lut Aricò. Quant aux dates, compléta-t-il, la seule certitude est que la péniche s'est arrêtée une dernière fois à Stagno avant d'être mise au sec ici, à Torricella.

— Quand est-elle arrivée à Stagno ?

— Hier soir après le coucher du soleil, vers six heures. »

Soneri pensait au mouillage exposé au vent d'est et donc peut-être déjà sur le point de geler à cette heure-ci. Mais, dans un second temps, il se souvint de Barigazzi, qui lui avait expliqué comment les affluents brassaient les eaux du fleuve en retardant la formation de la glace. Et, à Stagno, la rivière Taro se jetait dans le Pô. L'endroit évoquait une symbolique qui prit forme dans l'esprit du commissaire sans que celui-ci parvienne à la saisir précisément. Il se rappelait que Stagno était un lieu de grandes batailles opposant l'homme à l'eau. Des guerres de tranchées avec les sacs de sable barrant le passage à la horde boueuse qui débordait de digues rompues. Une résistance faite sur la ligne de front sans les renforts de la plaine, les sacs disposés côte à côte le long des routes et des fossés, dans des combats menés maison par maison. Il se souvenait aussi d'une photo vieille de plusieurs années publiée dans le journal local : elle représentait un groupe d'hommes moustachus, grands habitués des tavernes et amateurs de vin, qui affichaient tout leur esprit de sacrifice en affirmant que, pour arrêter l'eau du Pô, ils auraient été capables de la boire entièrement. Au-dessus de la photo, le titre les baptisait « Les héros de Stagno ».

Il avait en tête la carte avec le parcours du fleuve et les localités riveraines. Stagno était situé en face de Torricella del Pizzo. Plus en aval, le Torricella de la province de Parme était presque en face de Gussola, et Sacca regardait vers Casalmaggiore, à l'est. Entre Gussola et Casalmaggiore, il y avait San Quirico, qui n'avait pas de mouillage, mais la Magana pouvait s'approcher de la berge presque n'importe où le long du fleuve. Quelle preuve avait-il que les choses s'étaient passées ainsi ? Il y pensa un moment, en fumant ce qu'il lui restait d'un cigare toscan à moitié écrasé dans la poche de son Montgomery. Puis il conclut que la seule explication permettant de penser à une halte à San Quirico était liée à la direction d'où était arrivée la péniche le soir précédant sa mise au sec. Si la dernière étape avait été Stagno, le bateau serait arrivé porté par le courant, depuis l'ouest. Au contraire, il était apparu en provenance de la partie opposée, à contre-courant. Soneri avait clairement entendu le moteur augmenter en puissance pour vaincre la force des eaux en traversant le fleuve en diagonale. Dans le journal de bord, il fallait ajouter un arrêt.

Il reposa son portable et se dirigea vers les pontons. Sans saluer ni dire quoi que ce soit, il se mit à observer les deux hommes qui travaillaient autour de la péniche, posée sur une sorte de châssis en bois qui la surélevait à environ un mètre du sol. Les bateliers répondirent au commissaire par le même silence et ils continuèrent à s'affairer en passant devant lui sans même se retourner. Ils semblaient vouloir engager une guerre des nerfs que perdrait celui qui s'impatienterait en premier. Soneri fumait tranquillement, en bravant aussi le froid glacial qui arrivait en rasant le fleuve. Les deux autres se réchauffaient en travaillant sur la coque, dont ils essayaient d'ôter les filaments de glace.

« Juste à temps, n'est-ce pas ? » se résigna à dire le commissaire.

Les deux hommes se retournèrent lentement, comme s'ils avaient entendu un bruit familier derrière eux.

« Ça ne doit pas être agréable de devoir rester au large quand les berges sont gelées. »

Vaeven haussa les épaules, pour marquer la stupidité de ce genre de propos. Melegari, en revanche, répliqua :

« On a un peu d'expérience.

— Et pourtant, quand on voyage beaucoup… On ne se rend peut-être pas compte qu'en quelques heures… Vous, par exemple, vous êtes revenus au moment où quelques centimètres de glace recouvraient déjà deux mètres d'eau à partir du quai. »

Les deux hommes se fixèrent un instant.

« Ici, c'est pire qu'ailleurs, expliqua Melegari, il y a plus de vent.

— En effet, poursuivit Soneri, et pour celui qui s'éloigne pendant plusieurs jours, il est difficile d'imaginer ce qui peut arriver : le Pô est si long. »

À ce moment-là, Dinon cessa de travailler et se redressa de tout son long pour paraître plus déterminé encore. Malgré tout, il restait parfaitement calme. Mais le commissaire l'était aussi et continuait à fumer comme si de rien n'était.

« Nous, on n'apprécie pas ces formules alambiquées de flic, expliqua Melegari. Je vous l'ai déjà dit : on ne m'embrouille pas. Dites-nous ce que vous voulez savoir et finissons-en. »

Soneri le scruta, le défiant ouvertement, puis, après quelques instants de pause pour bien montrer à son interlocuteur à quel point il était calme, il demanda :

« Où est-il ?

— Qui ?

— Vous le savez très bien. Ne faites pas le malin. »

Le ton du commissaire était si péremptoire que l'homme réfléchit un moment.

« On ne voudrait pas que vous vous fassiez des idées étranges sur notre compte, dit Melegari en baissant légèrement le ton de sa voix de façon vaguement menaçante. Vous savez que nous sommes activistes, n'est-ce pas ? Alors, vous devriez aussi savoir que souvent des camarades en provenance de toute l'Italie viennent nous trouver pour connaître notre situation et parler politique. Ça pose un problème si nous les accueillons et les promenons sur le Pô ?

— Oui, ça peut, s'ils arrivent dans un village où a été assassiné un vieux dignitaire fasciste passionné lui aussi de navigation fluviale. Mais ce n'est qu'une hypothèse, ajouta Soneri après quelques instants, d'un ton également allusif.

— Vous autres policiers, intervint Dinon avec un certain mépris, vous nous soupçonnez toujours : dès que vous entendez parler des communistes, le sang vous monte à la tête. »

Le commissaire fit un geste de la main pour indiquer que ce n'était pas la peine d'insister. Et après une assez longue interruption, il fit remarquer :

« De toute façon, j'ai l'impression que la politique a un rôle dans cette affaire. La politique d'une époque qui faisait monter le sang à la tête. »

Le commissaire se retourna sans saluer et prit la direction du cercle nautique. À mi-chemin, il chercha ses allumettes pour rallumer son cigare et se calmer. Il fouilla dans sa poche et, au lieu de la petite boîte habituelle, il trouva un étui abîmé. Il le sortit de sa poche : c'était le paquet vide des comprimés contre l'hypertension trouvé dans la guérite. Il ne savait pas quoi faire d'un indice si vague, mais à l'intérieur il y avait encore le ticket de caisse : il remontait à vingt jours et affichait le nom d'une pharmacie de Casalmaggiore.

Une bribe d'indice, mais c'était le seul dont il disposait.

Le pharmacien était un homme âgé portant une moustache blanche en forme de guidon et deux touffes de cheveux au-dessus des oreilles. L'officine était petite et bien rangée, avec des boîtes colorées alignées sur les étagères et évoquant une mosaïque.

L'homme examina l'emballage sous toutes ses coutures et il jeta ensuite un coup d'œil au ticket.

« C'est un produit très ordinaire, conclut-il tandis que sa fille, une jeune femme d'une trentaine d'années, s'était approchée pour observer.

— J'imagine que vous connaissez vos clients habituels. Ceux ayant de l'hypertension, je veux dire. À part eux, vous souvenez-vous de quelqu'un ? Un vieil homme corpulent traînant la jambe ? tenta de l'aider le commissaire.

— Ce doit être cet homme sans ordonnance », se souvint la fille.

Le pharmacien se concentra quelques instants, puis il montra qu'il avait compris. Soneri savait que les pharmaciens ont une bonne mémoire : avec tous ces médicaments aux noms impossibles, ils l'exercent continuellement.

« Un monsieur âgé, oui, dit-il en baissant les paupières comme pour mieux le visualiser, qui traînait la jambe. Il voulait un produit qui n'est plus dans le commerce et il n'avait pas d'ordonnance.

— Et vous lui avez donné ça ? » demanda Soneri en désignant la boîte vide.

L'autre fit signe que non.

« Nous ne pouvons pas vendre un médicament de ce genre sans l'ordonnance d'un médecin.

— Et donc, comment a-t-il fait ?

— Il est revenu en début d'après-midi avec une prescription du Pr Gandolfi, un ancien responsable du service de chirurgie, qui habite juste derrière ici, répondit-il en indiquant la direction avec son pouce. Il en a pris quatre boîtes pour avoir une réserve.

— Y avait-il quelqu'un avec lui ?

— Il était seul.

— Avait-il un accent étranger ?

— Pas du tout, il parlait parfaitement le dialecte. »

Soneri allait sortir, mais lorsqu'il fut devant la porte une autre question lui vint à l'esprit :

« Vous connaissez le Pr Gandolfi ?

— Tout le monde le connaît ici, à Casalmaggiore.

— Quelles sont ses idées politiques ? »

Le père et la fille se regardèrent, en essayant de saisir le sens de cette question. Puis la jeune femme dit brusquement, d'une manière qu'on aurait pu prendre pour du mépris :

« À l'université, on l'appelait le Baron rouge. »

Son père lui lança un regard de reproche dans lequel Soneri reconnut la réticence du commerçant quand il s'agit de donner son avis.

Le Pr Gandolfi habitait dans une petite villa fort élégante, tout juste rénovée, typique d'un notable de province. Il n'exerçait plus à l'hôpital. Depuis sa retraite, il auscultait en privé ses vieux patients ayant besoin de soins et quelques personnes sans le sou que lui envoyait le parti.

« Je fais du volontariat, dit-il sur le ton de la plaisanterie. Pour ceux qui ne peuvent pas se permettre les honoraires de mes confrères avides », se justifia-t-il ensuite, plus sérieusement.

Cette précision ne fut pas très utile à Soneri, qui ne parvint pas à comprendre si Gandolfi était sincère ou s'il mentait habilement. Le professeur expliqua que Melegari lui avait demandé une ordonnance contre l'hypertension et qu'il l'avait rédigée sans trop réfléchir, puisque Dinon, justement, souffrait d'hypertension.

« Il mange et boit trop », ajouta-t-il.

Le commissaire se leva et observa le professeur en éprouvant un sentiment ambigu à son égard. Il était bien habillé, il vivait dans une maison décorée avec soin et, dans la cour, Soneri avait remarqué une grosse Mercedes avec une plaque d'immatriculation récente. Lorsqu'il franchit le portail, il pensa qu'il n'avait jamais aimé les communistes conduisant une Mercedes et pour qui avoir la carte du Parti communiste n'était qu'une fantaisie de snobs.

En se promenant le cigare à la bouche, il commença à percevoir une inquiétude qui ressemblait à une démangeaison désagréable. Comme au contact d'un buisson d'orties. Il sentait autour de lui la présence du vieil homme qui traînait la patte, mais il ne parvenait pas à le repérer. Il se voyait dans la même situation qu'un chien qui flaire le gibier, mais qui sent partout la même odeur et ne sait pas quelle direction prendre. Peut-être était-ce pour cette raison qu'il se dirigea vers San Quirico. Ses pensées l'avaient pris par la main. Il s'était mis au volant sans avoir l'intention de partir. Puis, machinalement, il avait mis le moteur en marche et la voiture avait pris la direction de la route provinciale qui longeait la digue comme un chemin de traverse à l'intérieur des terres, loin du fleuve. Ensuite, l'*Aïda* avait retenti et il avait dû s'arrêter sur une aire de stationnement qui avait émergé d'un nuage gris de brouillard.

« Vous souvenez-vous de Maria des sables ? demanda Aricò d'un ton grave.

— Bien sûr, la compagne d'Anteo Tonna.

— Il s'est passé quelque chose d'étrange : hier dans la nuit, quelqu'un a tenté de forcer la fenêtre du rez-de-chaussée de l'hospice où se trouve sa chambre. Heureusement, le grillage a résisté.

— C'est elle qu'on cherchait ? s'enquit le commissaire, devinant déjà la réponse.

— Selon moi, oui. Ils ont fini par renoncer, à cause de la robustesse du rideau de fer, mais aussi parce que l'un des infirmiers de garde s'est penché par la fenêtre de l'étage supérieur.

— Il a aperçu quelque chose ?

— Juste une ombre. Des traces de pas ont été trouvées sur le givre : un homme portant de grosses chaussures. »

Dans l'esprit du commissaire prirent forme des idées qui se superposèrent parfaitement aux convictions qu'il avait déjà, en les confortant. Un camion le frôla alors qu'il sortait de l'aire où il s'était arrêté. Pendant quelques instants, n'ayant plus le point de repère de l'accotement, il ne comprit pas où il était et, quand il retrouva son chemin, il vit qu'il ne s'agissait pas de la route précédente mais d'une voie communale plus étroite qui coupait la plaine en tournant le dos à la digue du Pô. Dans le brouillard épais, il lui fallut quelque temps pour se rendre compte que cette route aussi menait à San Quirico : ce devait être le destin qui l'y conduisait.

Il fit le tour de la dizaine de maisons enlisées dans l'argile de la basse plaine. Il aperçut enfin la véranda du vieil homme. Du seuil du portail entrouvert, il le vit sous la baie vitrée, ses pupilles fixant la grisaille vide qui lui faisait face, toujours appuyé à sa canne. Lorsqu'il fut à quelques mètres de lui, le vieillard eut un sursaut et il se mit à le chercher du regard en tournant les yeux aussi frénétiquement qu'une torche. Puis Soneri parla et le vieil homme parvint à le localiser, plus calme. Cette fois, ses jambes étaient recouvertes d'une couverture légère et il avait un chapeau en feutre sur la tête.

« Il a déjà gelé ? s'informa-t-il aussitôt, avec une sorte d'avidité.

— Oui, près des berges.

— Cette nuit, la glace s'épaissira et elle avancera de quelques mètres. Tout le monde s'est arrêté, n'est-ce pas ?

— Il est impossible de naviguer avec des bateaux normaux », répliqua Soneri.

Le vieil homme fit un geste de désappointement. On comprenait qu'il aurait voulu être sur la digue pour observer le Pô se solidifier. Mais, même si on avait pu l'y amener, il n'aurait rien pu voir.

« Vous y êtes allé ?

— Bien évidemment. »

L'homme s'enferma un instant dans un silence douloureux. Puis il poursuivit :

« Ça fait vingt ans qu'il n'a pas gelé comme ça. »

Son épouse apparut sur le seuil, lança un regard vers la véranda et se retira après avoir reconnu Soneri.

« La dernière fois que cela s'est produit, reprit-il, je me déplaçais encore en canot. »

Et on eût dit qu'il était sur le point de céder à un accès de mélancolie. Il observa à nouveau le brouillard avec une assiduité qui, chaque fois, semblait étonner Soneri. À ce moment-là, on entendit une automobile passer au-delà du jardin et de la tache sombre d'une haie. Le vieil homme leva une main et indiqua un lieu indéterminé dans les brumes blanchâtres qui flottaient au-dehors. Soneri se tut jusqu'à ce que ce geste plein d'éloquence puisse se traduire en mots.

« Ce... ce bruit, répéta-t-il à la manière de ceux qui bégaient, je ne l'ai jamais entendu.

— Je croyais que vous étiez un peu sourd, répliqua le commissaire, stupéfait.

— Je perçois bien certains bruits, moins bien certains autres. Comme les coups de sonnette.

— Ce bruit-là, vous l'avez bien entendu? insista Soneri.

— Oui, et il est nouveau. Hier soir et puis maintenant. Je connais le bruit de toutes les voitures d'ici, expliqua-t-il, et je vous dis que ce bruit est nouveau.

— Quelqu'un d'étranger au village ?

— Y en a pas par ici.

— Peut-être qu'un voisin a changé de voiture... dit à tout hasard le commissaire.

— Il n'y a que des vieux sans permis.

— Un proche... »

Le vieil homme secoua la tête.

« Personne ne vient pendant la semaine. Et puis en cette saison… Personne à part les vendeurs ambulants et le boulanger. »

Le caractère exceptionnel de ce bruit semblait avoir frappé profondément le vieil homme. Et la chose devenait intéressante pour le commissaire aussi.

« Je m'y connais en moteurs, réaffirma l'homme, avec fierté. Sur le Pô, je comprenais qui arrivait simplement au vrombissement du hors-bord. Bien avant de voir. Parfois je saluais en entendant passer une embarcation sans même apercevoir la forme du bateau. »

Tous deux restèrent silencieux, puis Soneri reprit la parole.

« Vous avez entendu d'autres bruits insolites ?

— Non. Ici il n'y a rien d'insolite. Je pourrais vous faire la liste de ceux que l'on entend le jour ou la nuit. De toute façon, je dors très peu : je vis dans le noir désormais.

— De qui peut-il s'agir ? » demanda le commissaire en pensant à voix haute.

Le vieil homme écarta les bras.

« Quelquefois il arrive que certains se trompent de chemin à cause du brouillard et finissent dans cet endroit à l'écart. Mais cela ne se produit jamais deux fois de suite. La seconde fois, on y revient exprès. »

Le commissaire repensa à la route : une chaussée étroite rehaussée, qui partait de la route provinciale et s'achevait à San Quirico. Quelqu'un devait fréquenter l'une des résidences d'été éparpillées au hasard dans ce village labyrinthique. Mais il ne s'agissait pas d'un visiteur coutumier, selon le vieil homme. Soneri parcourut le sentier jusqu'à la route située au-delà de la haie où était passée la voiture. Sur la fine couche blanche laissée par le givre, il vit les marques de pneus et il les suivit. Elles menaient à un pavillon au toit bas, dont le jardin était peuplé d'angelots joufflus en plâtre. La maison semblait barricadée. La porte était même protégée par une cloison en métal dans sa partie inférieure. À côté, sous un hangar, était garé un camping-car.

Soneri fit demi-tour, en veillant à passer sur l'asphalte non recouvert de givre pour ne pas laisser de traces. Quand il revint devant la maison à la véranda, la marche triomphale de son portable retentit à nouveau, laborieusement.

« Chef, le préfet de police m'a demandé où vous étiez, déclara Juvara.

— Et c'est à toi qu'il le demande ? demanda Soneri, agacé.

— Il dit qu'il a essayé de vous joindre, mais qu'il a trouvé votre téléphone éteint.

— Qu'est-ce qu'il veut ?

— Il était énervé parce qu'il a su que vous aussi étiez au courant du trafic des clandestins, mais qu'à présent l'enquête est entre les mains des carabiniers. Et puis il ne comprend pas pourquoi vous êtes toujours sur le Pô et pas au bureau. Il a fini par me demander si vous aviez pris vos congés.

— Dis-lui que demain ou après-demain il aura du nouveau au sujet de l'affaire Tonna », le coupa sèchement Soneri.

Et quand il eut rangé son portable, il fut surpris par le calme et l'assurance avec lesquels il avait parlé.

« À qui est ce petit pavillon avec des statues d'anges dans le jardin ? demanda-t-il au vieillard qui l'avait entendu revenir.

— C'est celui des Ghiretti. Les enfants vivent à Milan, les parents, à Crémone. Ils viennent ici trois fois par an.

— Il y a un camping-car dans la remise : il appartient à la famille ?

— Un diesel ? Celui qui vient de passer était justement un diesel.

— Oui, je crois, mais le véhicule est à l'arrêt depuis quelque temps.

— Dans ce cas je ne sais pas. Je ne crois pas qu'il appartienne aux enfants. Ils doivent avoir loué l'emplacement à quelqu'un d'autre.

— La voiture, celle que vous avez entendue, est allée là-bas », l'informa Soneri.

Le vieil homme prit un temps de réflexion. Il répéta ensuite à plusieurs reprises : « Bizarre, je trouve ça bizarre. »

Le commissaire s'approcha de lui.

« À quelle heure avez-vous entendu la voiture hier ?

— Le soir, tard, il devait être onze heures. »

Soneri écrivit en gros son numéro de portable sur une feuille et il la tendit au vieil homme.

« Dites à votre épouse de m'appeler dès que vous entendrez la voiture revenir. C'est très important », lui chuchota le commissaire dans l'oreille.

Le vieillard serra le morceau de papier du bout de ses doigts épais et hocha la tête.

Soneri savait qu'il devait garder en mémoire cet itinéraire, mais avec ce brouillard ce n'était pas facile. Or il était probable qu'il dût retourner à San Quirico dans la nuit même.

Il entra chez le Sourd vers vingt heures et il sentit la chaleur l'envelopper, mêlée à la vapeur de la soupe de légumes. Il passa devant la porte grande ouverte de la cave, et la légère odeur de moisi émanant des saucissons suspendus aux poutrelles de bois titilla ses narines.

Le Sourd passait entre les tables dans le silence imperturbable qui l'entourait, même si les notes d'un puissant *Falstaff* se répercutaient contre les murs couleur salami. Lorsqu'il s'arrêta face à Soneri, le Sourd le regarda pendant quelques instants, tandis que le commissaire retournait son cigare dans sa bouche avec une certaine volupté. Puis il prit le menu sur la table et le mit dans la poche de son tablier avant d'extraire son calepin dans lequel, sur une feuille à carreaux, il avait écrit en gros « La vieille ».

Soneri pensa instinctivement à Maria des sables, mais dans la seconde il s'aperçut de combien la déformation professionnelle pouvait l'induire en erreur : le Sourd souhaitait lui indiquer qu'en cuisine il y avait de la « vieille en sauce », de la viande de cheval hachée avec une sauce aux poivrons. Ses souvenirs d'enfance réapparurent et, quand il hocha la tête avec enthousiasme, l'aubergiste comprit qu'il avait vu juste : il offrait ses meilleurs plats à ceux dont il savait qu'ils pourraient les apprécier pleinement. Et le commissaire était de ceux-là.

La « vieille » s'avéra délicieuse et Soneri adressa un geste reconnaissant au Sourd qui devait l'avoir cuisinée pour son épouse et lui. C'était comme si l'aubergiste l'avait invité à dîner chez lui. Vers vingt et une heures, l'auberge commença à s'animer. Barigazzi et Ghezzi firent leur entrée, mais quand ils remarquèrent le commissaire, ils s'assirent très loin de lui. Soneri n'en fut pas troublé et il tourna la tête vers eux en les fixant d'un air de défi. En même temps, il gardait un œil sur son portable que, exceptionnellement, il avait posé sur la table.

Après la « vieille », il commanda du bonarda. Il moussait comme le fortanina, mais il avait plus de corps et celui du Sourd était si riche en tanins qu'on eût dit de l'encre. Soneri en buvait à petites gorgées pour dissoudre dans son estomac l'imposant amalgame de poivrons et de hachis de cheval qui réagissaient en se solidifiant en un dépôt aussi compact que du lait coagulé. Et pendant ce temps il attendait. Il observait le Christ aux jambes repliées, le mètre gradué où étaient cochées les dates des inondations, le plafond de la même couleur que le maigre de cochon haché et les têtes des clients qui évoluaient dans la salle à la manière des fleurs rondes des poireaux agitées par le vent.

La question du préfet de police lui vint également à l'esprit : « Il a pris ses congés ? » Parfois son métier prenait des airs de vacances. Cela arrivait dans les moments creux des enquêtes, quand il fallait attendre qu'un événement se produise. Un métier qui ressemblait par certains aspects à la flânerie. Ça n'avait jamais vraiment plu à son père. En bon paysan, il avait conclu que « la plupart du temps, vous ne faites rien de la journée ». Et il n'appréciait pas non plus ce temps passé à interroger, à fouiner…

Il était vingt-deux heures désormais et il commençait à s'impatienter. Les vociférations monotones de l'auberge l'abrutissaient comme pour le préparer au sommeil. Le vieil homme s'était-il endormi sans entendre la voiture arriver ? Ou peut-être n'était-elle vraiment pas venue ?

Le Sourd passa et montra à nouveau son calepin. Cette fois, il avait écrit : « polenta frite ». Un autre souvenir d'enfance, auquel Soneri ne savait renoncer. L'aubergiste avait dû l'étudier longuement durant les soirées où il avait mangé dans cette salle, en devinant précisément ses goûts. Mais surtout, il le servait avec une lenteur calculée qui semblait orchestrée par une mise en scène. Savait-il que le temps d'attente était encore long ? Vers vingt-deux heures trente, quelques clients se levèrent des tables pour partir. Le principal sujet était la glace et beaucoup quittaient l'auberge pour finir la soirée sur les berges du fleuve afin de contrôler l'avancée du gel. Barigazzi aussi était parmi eux et il animait la conversation.

Le Sourd fit un geste en direction du commissaire, que ce dernier ne comprit pas : faisait-il référence à la nourriture ou à autre chose ? La polenta frite était vraiment sublime et Soneri répondit par un signe d'assentiment exprimant sa gratitude. Mais l'aubergiste afficha une certaine surprise avant de répondre par un mouvement rapide de la tête. Et le commissaire resta avec le doute de ne pas avoir compris. Peu après, le Sourd revint avec un verre à liqueur et un gros bocal en verre rempli de griottes à l'eau-de-vie. Cela aussi lui rappelait le passé, quelque chose tenant à la fois de l'envie et du remède efficace contre tous les maux.

L'auberge était quasiment vide. Il ne restait que Soneri, dont le verre était à présent plein de noyaux, et le Sourd, assis près du comptoir, le regard dans le vide, alors que *Falstaff* entrait dans son dernier acte. Dans cette position, il ressemblait au vieillard de San Quirico et la question de l'attente s'empara à nouveau de l'esprit du commissaire. Puis tout se déroula comme dans une scène de mélodrame : la musique de Verdi s'éteignit après un aigu interminable et un fracas de cuivres, l'auberge fut plongée dans le silence, tandis que lui et le Sourd se regardaient, l'air concentré. Ce fut à cet instant même que l'*Aïda* remplaça *Falstaff*. Il appuya sur la touche, dit « Allô » et, de l'autre côté, il entendit un murmure, la vieille femme qui passait le combiné à son mari.

« Je l'ai entendue », dit ce dernier.

Soneri resta silencieux un moment et, quand il fut sur le point de répliquer, le vieil homme raccrocha.

Le commissaire se leva brusquement, comme à son habitude, et le Sourd parut comprendre exactement ce que Soneri s'apprêtait à faire. Il agita la main pour saluer et son regard communiquait une sorte de clairvoyance.

Dehors le froid résistait, mais le bonarda parvenait à le combattre très bien. Et puis il lui insufflait aussi une euphorie lucide, indispensable pour le genre de nuits qui s'annonçait. Il lutta un bon moment contre le brouillard pour retrouver la route qui menait à San Quirico, qu'il avait empruntée par hasard dans l'après-midi et qui lui semblait à présent impénétrable dans cette muraille brumeuse contre laquelle se heurtait le nez de sa voiture. Il se retrouva enfin suspendu au beau milieu de la campagne et il eut l'impression de conduire parmi les nuages. À trente kilomètres-heure, les phares antibrouillard impuissants à scruter le bitume, il craignait de tomber dans le bas-côté à chaque virage.

Il laissa sa voiture près de la maison du vieillard. Il pensa qu'au lit, éveillé, l'homme entendait le bruit de son moteur s'éteindre près du trottoir et qu'il se représentait déjà tout, comme il était désormais contraint d'imaginer chaque scène de la vie autour de lui. Il se demanda si le vieillard percevait également ses pas qui arpentaient la rue, tandis qu'il passait sous l'un des rares réverbères de San Quirico. Il ne put certainement pas entendre quand il faillit se cogner contre le portail de la maison devant laquelle s'arrêtait la traînée des pneus de la voiture inconnue.

Avec sa torche, Soneri examina les traces pour s'assurer qu'elles étaient récentes. Après avoir observé les arêtes aiguës, il n'eut plus aucun doute : le vieil homme avait bien entendu. La maison était plongée dans un silence de mort. Dans la petite allée qui conduisait à l'entrée, pas la moindre empreinte de pas et la porte était encore barrée par une plaque en métal censée la protéger de l'humidité. Les volets aussi donnaient l'impression d'être verrouillés depuis longtemps. Il inspecta à nouveau le camping-car sans remarquer aucun changement et il ne lui restait donc à contrôler que l'arrière de la maison, qui donnait sur un jardin potager et sur quelques arbres fruitiers étouffés par les plantes grimpantes. C'est alors qu'il aperçut une dizaine de marches qui descendaient vers la porte d'une cave.

Il mit la main à son pistolet et resta quelques instants devant l'entrée, jusqu'à ce que le bruit de ses doigts sur le bois lui annonce le début d'une longue nuit. Personne ne répondit. Alors il frappa encore, avant que l'impatience ne lui fasse donner des coups sur la porte de sa paume ouverte, si fort qu'il la fit trembler sur ses gonds.

Peu après, il entendit quelqu'un marcher en traînant la jambe et dans la faible lumière apparut un homme âgé, corpulent, aux épaules voûtées, dont le visage exprimait seulement un épuisement résigné.

Soneri avança d'un pas vers le seuil et l'homme ne s'y opposa pas. Il se mit à peine de côté, juste ce qu'il fallait pour signifier qu'il n'empêchait pas le commissaire d'entrer, ce que fit Soneri en s'approchant d'une table sur laquelle tombait une lumière souffreteuse. Le vieil homme referma la porte sans hâte, comme si était arrivé un invité attendu. Et lorsque Soneri se présenta, il répondit par un simple hochement de tête. Son expression traduisait une gravité respectueuse.

Dans un coin sombre de la pièce, un radiateur électrique soufflait de l'air chaud et, de l'autre côté, une tête de lit en noyer ressortait dans la pauvreté rustique de cette cave aux murs gris de chaux brute. Le commissaire s'assit et l'homme l'imita. Leurs regards étaient à présent à la même hauteur. Le visage de l'homme, à la longue barbe et à la peau ridée, faisait penser à une vieille laitue. Mais ce qui surprenait le plus Soneri était son attitude envers lui, marquée par une sorte de renoncement. Un laisser-faire qui semblait calculé.

Ils restèrent pendant quelques instants interminables face à face, dans un silence crispant. À bien l'observer, le vieil homme portait les signes de l'hypertension : des vaisseaux capillaires visibles sur les joues, une carnation couleur saucisson à la base du nez et la masse imposante du corps qui semblait contenir des accès de colère. Même si l'homme était à présent immobile dans l'attente, et cela semblait être la bonne tactique dans la mesure où Soneri ne parvenait pas à trouver les mots pour commencer.

« Tout cela était-il bien nécessaire ? » réussit-il à dire à la fin, en se rendant compte aussitôt qu'il s'agissait d'une question engendrée davantage par la curiosité que par les besoins de l'enquête.

Mais celle-ci était désormais achevée. Il restait l'étrangeté, la déviance par rapport aux comportements normaux. Il y avait des moments, comme celui qu'il vivait à cet instant précis, où il était nécessaire de se dépouiller de ses habits officiels pour revêtir ceux du confident. Après tout, le vieil homme n'avait pas d'autre choix et peut-être ne cherchait-il même pas une porte de sortie. C'est ce que laissait transparaître manifestement sa résignation, dans laquelle Soneri perçut quelque chose qui le libérait et faisait même naître un peu de fierté.

« Était-ce nécessaire ? » insista-t-il.

L'homme avala sa salive mais ne répondit pas. Non parce qu'il ne le souhaitait pas, mais parce que dans sa gorge devait se bousculer un nœud de motivations qui ne parvenaient pas à se délier en discours. Lui-même ne savait pas par quel bout commencer. Il hésita encore un peu, puis il prononça une phrase elle aussi dictée davantage par les émotions que par la raison.

« Si vous aviez subi ce que moi j'ai subi… »

L'accent espagnol dans la voix retentit comme une confirmation.

« Combien d'années avez-vous vécu en Argentine ?

— Je vous laisse compter : depuis 1947.

— Une vie entière.

— Oui, ma vie s'est déroulée là-bas.

— À part votre jeunesse… »

Le vieil homme passa une main sur son front et, dans son geste, il découvrit son avant-bras, sur lequel étaient tatoués une faucille et un marteau.

« Je m'en serais bien passé. J'ai vécu deux vies : je suis mort et je suis né une seconde fois.

— Ressuscité, corrigea Soneri : vous êtes resté la même personne.

— Malheureusement, on emporte son passé avec soi : le sang en est corrompu pour toujours. »

Il avait prononcé ces derniers mots avec plus de détermination, presque avec hargne. Une colère demeurée intacte en dépit des années paraissait colorer en profondeur ses pensées.

« Le vôtre est encore corrompu », affirma Soneri.

L'homme lui lança un regard exprimant à la fois étonnement et agacement.

« Aujourd'hui moins. J'ai fait ce que j'avais à faire. Mais si vous croyez que cela puisse suffire… Je me suis même demandé si cela en valait la peine, vu que j'en suis au même point. Seul le temps peut venir à bout de la haine, et du temps, je n'en ai plus. J'ai réussi à réaliser ce que j'ai projeté pendant tant d'années.

— Vous auriez dû penser aussi à vous-même », répliqua Soneri.

Le vieil homme réfléchit et haussa les épaules.

« Pour d'autres, ce fut pire. Si je me suis enfui, c'est aussi parce que j'ai pensé à moi. Ici je n'avais plus rien. J'aurais été obligé de partir de toute façon : je l'avais décidé après les représailles contre ma famille. »

L'allusion aux représailles conduisit Soneri à repasser dans sa tête la succession des événements. Et il arriva à la bataille entre les berges. Il fixa le vieil homme dans les yeux et il y vit un scintillement, blanc comme l'étincelle d'un court-circuit.

« C'est le conflit dans le lit d'inondation qui m'a mis sur la bonne voie, reprit-il. Au début je ne parvenais pas à faire concorder les hypothèses car elles se heurtaient toutes à un fait : les personnes qui pouvaient avoir eu un motif pour se venger des Tonna étaient toutes mortes. Y compris vous. Mais quand on m'a raconté comment s'était déroulée la bataille dans le brouillard et que j'ai appris que les corps des victimes avaient été mutilés et que le cadavre de ce fasciste avait disparu… alors j'ai eu l'intuition de ce qui pouvait s'être passé. Ce que je n'ai pas réussi à comprendre, c'est pourquoi vous, étant donné que vous étiez officiellement mort, vous n'avez pas agi aussitôt après la fin de la guerre. Au fond, beaucoup de vos camarades n'ont pas fait dans la dentelle en 1946. »

Le vieil homme leva la tête avec fierté avant de la baisser d'un coup dans un soupir.

« Vous croyez qu'on ne l'aurait pas su ? J'étais celui qui avait les meilleures raisons pour le leur faire payer et je passais pour une vraie tête brûlée. Quelqu'un l'avait déjà vu venir… Et puis le parti ne m'aurait jamais pardonné. N'oubliez pas que j'ai mutilé le cadavre d'un camarade et que l'on m'avait déjà soumis à procès pour indiscipline lorsque j'étais dans la Brigade Garibaldi. Enfin, pensez aussi que je me suis soustrait à la dernière phase de la guerre civile et au militantisme. À l'époque, le PCI était bien organisé et il avait conservé son réseau des membres de Groupes d'action patriotique : je vous garantis qu'ils n'auraient pas été tendres avec moi. J'ai déjà eu de la chance de ne pas être découvert. Après la Libération, je suis resté caché pendant presque deux ans grâce à la complicité de certains de mes camarades déjà en rupture avec le Parti communiste : les seuls à savoir. Vous comprenez pourquoi je n'ai pas pu agir après le 25 avril ? Mes funérailles avaient déjà été célébrées. Je parcourais le fleuve en vivant dans les soutes et dans des cabanons, chez des personnes de confiance. En vivant à nouveau cette expérience ces dernières semaines, j'ai eu l'impression de redevenir un jeune homme. Mais si j'avais été encore jeune, si j'avais eu la santé que j'avais alors, vous n'auriez jamais été en mesure de me retrouver. J'ai passé une vie dans la clandestinité.

— Vraiment personne parmi les résistants n'a compris ? Ou peut-être que certains ont fait semblant de ne pas comprendre ? demanda le commissaire.

— Je ne sais pas… Il y avait d'autres choses auxquelles penser. L'épisode des corps mutilés est apparu comme trouble et ambigu, mais il fut mis au compte des fascistes. Les mêmes qui ont fusillé mon ami Nibbio peu après. D'ailleurs, ils rendirent son corps dans un état qui n'était pas mieux que celui des autres.

— Il m'a fallu beaucoup de temps pour comprendre que c'était là la clé de toute l'affaire. Vous avez dû le faire, constata Soneri. Quelqu'un devait forcément prendre sa place parmi les morts. Et ce fasciste porté disparu… Justifié par la haine, vous avez donc mis en scène un acharnement sur les morts tombés au combat, vous les avez rendus méconnaissables et vous avez fait passé le fasciste de la République de Salò pour vous-même, tenta d'expliquer le commissaire.

— En effet, continua l'homme, j'ai dû me servir de mon couteau et croyez-moi cela n'a pas été simple. J'ai même pris une pierre énorme et je l'ai abattue plusieurs fois sur la tête de chacun d'eux jusqu'à la réduire en bouillie. Avant de m'acharner sur le fasciste, je lui ai mis mes vêtements. J'ai pris également une photo de ma mère et je l'ai fourrée dans sa poche, pour que la mise en scène semble plus crédible. Renoncer à ce portrait m'a beaucoup coûté, mais j'ai pensé que cela servirait à la venger de ce qu'elle avait subi. Le fasciste avait la même corpulence que moi et le résultat fut très convaincant. Et puis à l'époque on ne s'attachait pas à ce genre de détails.

— Deux vies. J'ai compris que c'était la seule solution possible, réfléchit le commissaire tandis que la lumière, à intervalles irréguliers, s'éteignait. Les autres, reprit-il, sont tous morts avant vous. Ceux de la Brigade Garibaldi, je veux dire.

— Je suis le dernier, confirma le vieil homme, et c'est aussi pour ça que je considérais qu'il était de mon devoir de venger les miens. Aussi au nom d'une partie de mes camarades qui, eux, n'ont eu qu'une seule vie et très brève qui plus est.

— Vous y avez pensé pendant toutes ces années ?

— Tous les jours. Tous les matins je refaisais le plan dans ma tête comme si j'avais dû le mettre en œuvre quelques heures plus tard. Deux fois par mois, mes camarades d'ici, avec lesquels j'avais renoué, me donnaient de nouvelles informations sur mes victimes. Je vivais dans la crainte qu'ils meurent avant que je puisse les éliminer. Je les aurais même défendus si quelqu'un les avait menacés. On pourrait prendre ça pour une sorte d'affection du même genre que celle qu'on éprouve pour les lapins qu'on a soignés et dont on s'est occupé dans le seul but de les engraisser pour les tuer.

— Vous n'avez jamais songé à tout laisser tomber, à revenir chez vous et à refaire votre vie ? Au fond, personne n'aurait pu vous dire quoi que ce soit après l'amnistie, fit remarquer Soneri en allumant son cigare.

— Pour les gens, j'étais mort. Pour le parti aussi, dit le vieil homme en haussant les épaules. On ne m'aurait plus regardé en face et j'aurais vécu des années d'isolement comme un étranger. Mieux valait dans ce cas l'être vraiment. Jusqu'à il y a quinze ans, ce qui était censé être mon corps est resté enterré au cimetière. Trente ans après ma disparition, on l'a exhumé, mais puisque personne n'a payé la concession, on a perdu toute trace du corps. Le parti a dit que les listes de l'Association nationale des résistants d'Italie et la stèle à la mémoire des camarades tombés dans le lit d'inondation suffisaient. Et de toute façon, la seule amnistie que je n'aurais jamais eue aurait été celle du parti. Je vous l'ai dit : ils pouvaient se montrer impitoyables.

— Il y aurait eu trop de choses à expliquer et vous auriez dû mêler vie privée et lutte politique, constata le commissaire.

— Il n'y a pas que cela. Je me sentais encore jeune pour… »

Le vieil homme s'interrompit, envahi par un torrent d'émotions contradictoires.

« À présent, reprit-il soudain, j'atteins un âge où je n'ai plus rien à perdre. »

Soneri l'observa à travers le halo bleuté de la fumée qui faisait office de verre grossissant. Il parvenait à saisir en partie ce que l'autre voulait exprimer, mais tout n'était pas clair encore. Il craignait qu'une question trop directe bloque le récit du vieil homme. Ce ne devait pas être un interrogatoire, mais une incitation à l'aveu. C'est pourquoi ses questions dévoilaient le mystère progressivement, en s'attachant à des détails.

« Est-ce que le remords pour ces jeunes gens que vous avez défigurés ce jour-là dans le lit d'inondation vous a tenaillé ? »

Le vieil homme soupira.

« Et vous, vous vous sentiriez comment après avoir écrabouillé la tête de quelqu'un qui a grandi avec vous et a partagé vos plus belles années ? Je savais que je renoncerais au bonheur en m'adonnant à la solitude d'une existence loin de ma terre. Vous croyez que le Pô ne me manquait pas ? Mon dialecte ? Pendant toutes ces années d'exil, je me suis toujours obligé à penser en dialecte. Mais ici je n'avais plus rien. Je n'aurais été qu'un émigrant parmi d'autres. Et avec une nouvelle identité, j'imaginais que j'étais plus libre. Mais le désir de vengeance, lui, il ne m'a jamais quitté.

— Et votre vie en Argentine ?

— J'ai essayé de vivre en profitant de tout ce dont j'ai pu profiter. Je ne me suis rien refusé : les femmes, le confort, les vacances… Mais quand on vit comme ça, on doit faire attention à ne pas se fixer, autrement le présent recouvre le passé et à son tour, jour après jour, il est recouvert par l'ennui.

— Et à votre famille ? Vous y pensiez ? »

Le vieil homme sursauta à nouveau et leva les bras avant de les laisser retomber lourdement sur la table. La lumière vacilla une nouvelle fois, tandis que la fumée stagnante fut agitée par un courant d'air et de petits tourbillons.

« Ma famille ! répéta-t-il avec commisération en pensant plus à lui-même qu'au sens de la question. Si j'y pensais ? Bien sûr que j'y pensais ! Mais je n'avais que des images de mort et de violence en tête. Ida, ma sœur aînée, ils l'ont amenée derrière la maison et à sept… La cadette s'est enfuie vers le Pô, poursuivie par les Chemises noires, et elle s'est jetée à l'eau pour échapper à ces salopards, mais le courant l'a engloutie. Mon père est sorti de la maison, une hache à la main, pour sauver les femmes, mais ils l'ont arrêté net d'une rafale. Seule ma sœur Franca, la plus jeune, en a réchappé. Ida, de honte, n'est jamais revenue et on n'a plus eu de ses nouvelles, alors que celle qui s'était jetée dans le Pô nous a été ramenée sur une charrette par des marionnettistes après que le fleuve eut rendu son corps à Boretto.

Ma mère est morte de douleur quelques mois plus tard chez sa sœur, vu que notre maison avait été brûlée. »

Il avait posé ses deux mains sur la table ; elles étaient énormes et ressemblaient aux pattes d'un fauve prêt à bondir. Puis il les souleva en serrant les poings :

« Rien. Il ne me restait plus rien », murmura-t-il, un sanglot dans la voix.

Soneri fixait ce vieillard qui portait en lui une blessure profonde, qui ne guérirait jamais. Il parvenait à cerner le noyau d'humanité authentique dissimulé derrière un épais voile de haine en pensant à ceux qui, comme cet homme, avaient été entraînés par la violence et avaient cherché en vain une issue. Dans ce visage buriné par les ans, il parvenait encore à saisir le traumatisme d'un adolescent que la haine avait transformé en adulte d'un seul coup.

Pendant toute leur conversation, une question qu'il aurait pourtant bien aimé poser taraudait le commissaire. Mais il avait peur qu'elle soit prématurée. Il préférait faire pencher le discours de son côté dans l'espoir que glisse jusqu'à lui la réponse attendue. Il regarda le vieil homme absorbé dans des pensées restées définitivement enlisées dans un passé désormais lointain. Il savait presque tout à présent : qui avait tué les Tonna et même le mobile. En tant que commissaire, il pouvait être satisfait et considérer l'affaire résolue. Mais sa curiosité nourrissait une tension dont il ne parviendrait pas à se défaire avant qu'elle ne soit retombée.

« Ghinelli, Spartaco Ghinelli », dit-il à voix basse, comme si ce nom avait été susurré depuis un recoin obscur de cette cave.

Le vieil homme leva le visage et le scruta attentivement. C'était sa façon de confirmer.

« Ghinelli, reprit Soneri, l'Argentine doit être un beau pays… Vous n'avez jamais pensé… »

L'autre comprit et répondit avec sincérité.

« Non, ce qu'il y a de beau en Argentine, c'est qu'il y a assez de place pour tout le monde et qu'on ne se marche pas sur les pieds. Les villes aussi sont si grandes qu'on peut s'y perdre si on en a envie. Mais j'y étais de passage.

— Aucune femme ne vous a demandé de refaire votre vie avec elle ?

— Je ne leur ai laissé aucune illusion quand elles se sont présentées. Comment aurais-je pu ? Chaque fois que l'idée me prenait, l'image des miens me revenait à l'esprit et je considérais que j'aurais été un lâche si je les avais oubliés. Ç'aurait été la victoire des fascistes. Et ce Tonna qui continuait à naviguer sur le fleuve, et moi qui aurais aimé faire de même sur les rives d'un autre monde… J'avais envie de vivre, croyez-moi, mais je ne pouvais pas effacer le passé.

— Les Tonna aussi ont eu leur vie brisée. Ils n'ont plus jamais été heureux, dit Soneri.

— Ils l'ont bien cherché, s'emporta avec colère Ghinelli. C'est la vie des autres qu'ils auraient voulu anéantir. Notre espoir dans une existence plus digne. Le parti nous donnait cet espoir, vu que les prêtres ne l'avaient pas fait. À part quelques-uns, ils étaient dans l'autre camp, eux.

— Le parti aussi est mort », constata le commissaire.

Ghinelli serra ses poings et son visage se fit encore

plus rouge. Mais juste après sa tension se relâcha d'un seul coup.

« Aujourd'hui on ne manque de rien et les gens ont oublié les temps durs. En période d'abondance, tout le monde se déteste parce que prévaut l'égoïsme, seul fondement de notre monde à présent. Quand la misère reviendra, nous serons à nouveau unis. Mais ça ne me concernera pas. À la limite, j'ai dû agir pour l'exemple : tôt ou tard quelqu'un le suivra. »

Le commissaire réfléchit à cette phrase ambiguë, avant de demander :

« Et vous, quel exemple avez-vous suivi ?

— Je les ai tués à coups de piolet. Ça ne vous dit rien ?

— Trotski n'était pas fasciste.

— C'était un visionnaire dangereux. Je fais confiance à celui qui l'a défini ainsi. Si nous l'avions écouté, ils nous auraient tous massacrés. »

Soneri eut l'impression de replonger dans les discussions à l'université. C'étaient des mots qu'il avait entendu répéter mille fois lors des assemblées, dans les gymnases et les cinémas. Ils suscitaient en lui un sentiment amer de nostalgie et de passions qui s'étaient délitées dans le bien-être clinquant de la société actuelle. On aurait dit qu'un siècle d'histoire était passé et pourtant seulement quelques années le séparaient de sa jeunesse.

Quand il leva les yeux à nouveau, il vit que Ghinelli le fixait attentivement, faisant passer dans son regard son impatience de raconter. Alors Soneri éprouva l'envie de lui poser la question qui l'obsédait depuis le début.

Mais il n'en eut pas le temps parce que le vieil homme se remit à déverser un torrent de mots.

« Je voulais donner une valeur d'exemple à ce que j'ai fait, vous comprenez ? Quelque chose qui reste gravé dans l'esprit des gens. Je ne voulais pas qu'on se souvienne de moi seulement à cause du piolet, ni de la vengeance en tant que telle. J'ai compris que ce que je ferais prendrait tout son sens avec le temps. Une vengeance plus de cinquante ans après. Un crime de l'après-guerre resté en suspens et commis avec plus d'un demi-siècle de retard. Oubliez la curiosité que mon geste a fait naître dans les journaux, poursuivit Ghinelli en devançant une question de Soneri, ce qui compte, c'est la cohérence de mon acte. On va me prendre pour un fou, mais je sais que quelqu'un se souviendra de moi et gardera vivante l'idée qui fut la mienne. Actuellement, on se contente de maintenir la flamme allumée. Le moment venu, elle deviendra le détonateur. »

Le commissaire ralluma son cigare.

« Possible, dit-il sèchement, mais la plupart des gens prendront ça pour un crime de vieillards.

— Je sais, admit Ghinelli d'un ton grave. Mais ça m'est égal. »

Soneri sentait qu'il y avait autre chose. À côté du motif politique et de la soif de vengeance, il percevait la présence encombrante d'une raison personnelle dans cette fuite et il eut à nouveau envie d'en savoir plus, mais sur le moment les mots lui manquèrent. La dimension la plus intime, peut-être la moins noble mais la plus terriblement humaine, lui échappait. Il ne parvint qu'à murmurer :

« Vous ne dites pas tout. »

Le vieil homme le toisa à nouveau d'un regard exprimant une attention menaçante et pleine de dépit.

Alors la question du commissaire finit par sortir. Cette question qu'il aurait dû formuler d'emblée. Mais s'il l'avait fait, il n'aurait pas appris tout ce qu'il savait maintenant.

« Mais pourquoi avoir attendu cinquante ans ? » insista-t-il, faisant fi des réponses déjà apportées.

Son entêtement signifiait implicitement qu'il voulait connaître le reste, qui à présent lui semblait la chose la plus importante.

Il vit les traits de Ghinelli se décomposer, et au milieu des rides apparut une expression qui hésitait entre le rire et les pleurs. Un rictus empreint de sarcasme, de honte peut-être, finit par se dessiner sur son visage.

« Parce que avant je voulais vivre. »

FIN

Retrouvez le commissaire Soneri
dans une nouvelle enquête
à paraître dès 2017
chez Agullo Éditions.

Achevé d'imprimer en juin 2016
sur les presses de
l'imprimerie nouvelle laballery
pour le compte de Agullo Éditions.
N° d'impression : 606157
X00034/62

ISBN : 979-10-95718-00-0
Dépôt légal : mai 2016